CANCER : LES USAGERS S'EN MÊLENT

Fédération nationale des groupes d'usagers de la santé
avec la collaboration de Roland Hatzenberger

CANCER : LES USAGERS S'EN MÊLENT

bande dessinée
de Raphaël Gattegno

76 bis, rue des Saints-Pères, 75007 Paris
ISBN 2-220-02551-9

TABLE DES MATIÈRES

THÉRAPIES

INTRODUCTION

Usagers de la santé ?... Les voix autorisées murmureront l'inévitable question : êtes-vous des professionnels de santé, des spécialistes qualifiés pour écrire sur la maladie, sur le cancer ?

Répondons simplement : le dialogue nous paraît aujourd'hui essentiel. Que chacun prenne la parole, en toute liberté, avec tolérance et respect mutuel.

Las des guerres de caste stériles, dans lesquelles les intérêts financiers prennent trop souvent le pas sur les intérêts du malade, nous choisissons d'associer sans exclusive les thérapies, « pour » et « avec » le malade, en tenant compte de son terrain, de son histoire, de son entourage. Dans cette voie, de nombreux témoignages sont porteurs d'espérance.

La concertation sur le cancer de 1982, avec toutes ses insuffisances, aura eu le mérite de permettre à tous les partenaires de s'exprimer. C'est dans cette dynamique qu'il nous paraît aujourd'hui capital pour les usagers d'intervenir, de prendre progressivement toute leur place dans le système de santé. La maladie appartient au malade, c'est aussi à lui à la gérer !

Quelques malades guéris ou en rémission ont osé prendre la parole, avec force, dans des écrits autobiographiques publiés ces dernières années.

Le mensuel *L'Impatient*[1], avec ténacité, démystifie l'information médicale dans un langage accessible au grand public. Il a créé au fil des

1. 9, rue Saulnier, 75009 Paris.

années un esprit, un courant de réflexion. Plus, il a aidé de nombreux malades à oser s'exprimer, prendre en charge leur santé, au quotidien.

Ces paroles, ces énergies en ont libéré d'autres. Ici et là se sont créé des groupes santé où malades et bien portants construisent par leurs expériences de vie, le savoir de l'usager.

Ces différents groupes fondent en 1981 la F.E.N.G.U.S. (Fédération Nationale des Groupes d'Usagers de la Santé) dont l'un des objectifs est de diffuser la parole des usagers.

Ce mouvement nous a poussés à ne pas rester seuls, à essayer de rencontrer d'autres avec lesquels nous pourrions regarder le cancer en face.

Une conviction s'établit, devient un peu notre mot de passe :

La santé/la maladie, c'est d'abord notre affaire...

Avoir un cancer, c'est se retrouver brutalement et sans préparation devant les grandes questions de la vie.

La *vie* n'est-elle pas une constante recherche d'équilibre entre deux réalités : la naissance qui est un mystère joyeux et la mort qui en est l'incompréhensible aboutissement ?

Travail du corps, cheminement de la conscience, découverte et utilisation des énergies spirituelles... acte d'amour et de re-connaissance de soi-même... la maladie est un langage qu'il nous faut déchiffrer. Nous avons à découvrir son *sens,* sa signification.

Le savoir sur le corps est devenu un savoir statique, théorique. Notre démarche d'usagers est précisément de reconstituer un savoir pratique, des habitudes et des coutumes qui nous permettent d'agir dans le bon sens de la vie.

Deux bonnes années n'auront pas suffi à rendre claires, transmissibles comme nous l'aurions souhaité, les paroles d'usagers et de malades, étonnantes de richesses dans leur diversité. Avec des thérapeutiques semblables, des itinéraires proches, les uns guériront, les autres non, certains progresseront sans jamais conclure.

Décoder ces expériences afin d'en extraire les idées forces, pour proposer une démarche thérapeutique accessible aux usagers, tel était notre objectif de départ ! A qui adresser le message ? Spécialistes ? Usagers déjà sensibilisés ? La rencontre avec les Éditions de l'Épi nous a permis de nous adresser à un public très large.

Ce livre est un itinéraire dans la maladie cancéreuse.

Il n'a pas la prétention d'apporter de solutions magiques. Il retrace la genèse de la maladie vue côté patient. Il n'est pas question ici de science mais d'un savoir acquis, celui de l'expérience.

Au risque de décevoir certains rédacteurs de cet ouvrage, certains groupes même, nous avons pris l'option de choisir les itinéraires qui nous paraissent les plus accessibles, pour inviter à faire une première démarche de « prise en main » de son cancer. A l'analyse, nous avons souvent préféré garder la vie du témoignage et laisser ainsi au lecteur le soin de « décoder » pour transcrire le message dans son propre langage.

La deuxième partie décrit la gamme des tests et thérapies nécessaires à connaître et peut-être à faire connaître au thérapeute choisi pour nous accompagner dans la maladie. Ne cherchons pas là l'ouvrage scientifique qui va apporter toutes les explications techniques détaillées. Les thérapies décrites (la liste n'en est pas exhaustive) sont utilisées par les malades des groupes. Elles ont vocation d'information et doivent toujours être utilisées et administrées sous l'autorité d'un médecin.

Nous souhaitons que cet ouvrage soit un outil de dialogue qui nous permette, en fonction de l'écho reçu, de reprendre nos plumes ou de réfléchir quelque temps encore à d'autres approches et d'autres analyses.

Ce travail de réflexion et d'écriture collective est riche d'enseignement de vie. Il nous a appris que rien n'est jamais simple dans la maladie, dans les thérapies. Rien n'est jamais définitif, chaque itinéraire est unique.

Pour nous qui pensions au début de la rédaction, avoir les idées claires, ce texte nous renvoie à la modestie, devant l'immensité des questions que chaque chapitre a ouvert dans nos têtes, dans nos corps, dans nos cœurs.

Nous restons sur une interrogation : *Et si vivre autrement sa maladie était un facteur déterminant dans l'évolution et la guérison du cancer ?*

Merci à Roland, qui a bien voulu s'acquitter de la lourde tâche de rédiger les fiches et d'assembler ce texte, après son écriture collective, en lui donnant sa tonalité.

Groupes ayant participé à la rédaction du livre Cancer, les usagers s'en mêlent

Lyon : RÉSEAU SANTÉ, 15, rue Jean-Baptiste Say, 69001 LYON. Marie-Claire CHOMEL, tél. : (7) 827.17.16.

Clermont-Ferrand : ASSOCIATION SANTÉ CANCER, Local social, place Bergson, 63100 CLERMONT-FERRAND.

Vienne : COMITÉ VIENNOIS D'INFORMATION SUR LE CANCER ET LA SANTÉ, c/o Denise MEJASSOL, L'Amballan Saint-Prim, 38121 REVENTIN-VAUGRIS.

Grenoble : GROUPE SANTÉ GRENOBLE, Maison des Associations, 2, rue de la Paix, 38000 GRENOBLE.

Strasbourg : Roland HATZENBERGER, Association de Défense et d'information sur la Santé, 6, rue d'Andlau, 67300 SCHILTIGHEIM, tél. : 16 (88) 33.79.07.

Paris : GROUPE-SANTÉ 9e, 18, rue Victor-Massé, 75009 Paris, tél. : (1) 281.56.10.

Ire PARTIE

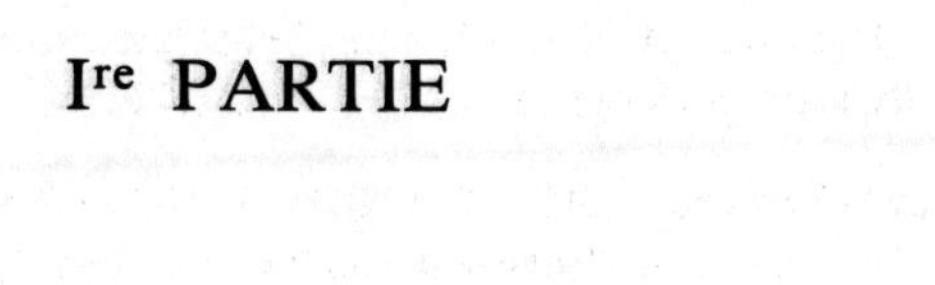

CHAPITRE I
Le choc

La panique m'envahit

« Pourquoi ce matin au bord de la mer, étalée sur un rocher au soleil, ma main palpe soudain mon sein, quelque chose de granuleux sous les doigts me fait insister, une boule malgré moi monte dans ma gorge, mon estomac se bloque, la panique m'envahit, tout en essayant de me rassurer.

Huit jours plus tard, je savais par les radiographies que quelque chose de douteux était là, installé. Je devais me faire ausculter à l'hôpital. Résultat : cancer du sein.

Non, pas moi, pourquoi moi ? Ça y est, je suis foutue, ma mère a eu un cancer il y a vingt ans, elle est en train de rechuter en ce moment, les docteurs m'ont dit qu'elle était perdue. J'ai peur, une trouille pas possible, je n'en dors plus, je ne peux plus manger, et les enfants... »

La gifle en pleine figure

« En mars 82, en week-end chez des amis, le soir, je prends conscience d'une masse dure au sein droit. Je m'inquiète vivement ce soir-là. Dès le début de la semaine suivante, je téléphone au gynéco. J'ai un rendez-vous douze jours après pour m'ausculter à un moment précis du cycle. Je n'avais jamais pensé au cancer, pour moi "l'accident n'arrive qu'aux autres". Cette attente est cependant un peu longue mais je la vis bien et arrive à me rassurer. Visite donc : il faut passer une radio. »

Je l'aime, cette vie

« Je quitte Curie, la rue m'accueille, indifférente, ma douleur m'accompagne, je suis deux. Des phrases bêtes me traversent l'esprit. Comme "je suis vivante, puisque je vais mourir". En quelque sorte, cela me rassure, je ne sais pas pourquoi... Je longe le Panthéon... Devant cette vie qui continue, insouciante de la mort, un souvenir poétique effleure ma mémoire : "Mon Dieu, mon Dieu, la vie est là, simple et tranquille... Et là, dans le dénuement le plus complet, je sais que je l'aime cette vie... Je porte mon corps avec beaucoup de tendresse. Un sanglot dans la gorge "il n'a pas vécu et il va mourir". Qu'est-ce que cela veut dire ?

Le radiologue me fait des clichés, encore des clichés et je comprends à sa mine que le diagnostic est sévère. C'est la douche. Il me dit : "On ne peut rien affirmer tant que l'opération n'est pas passée." C'est la gifle en pleine figure. Je sors munie de ma lettre, du compte rendu de radio, et je pleure. Je rencontre des gens, je ne sais plus qui j'ai pu rencontrer, je suis complètement troublée, tout s'entrechoque dans ma tête : ma famille... mes amis... tel ou telle... quand ils sauront. Jusqu'où cet événement va-t-il me conduire ? Tout se brouille... »

Mon mari a eu le premier choc

Elle : « Je suis entrée à l'hôpital pour un simple kyste au sein droit. Tous les examens, échographie comme mammographie, avaient confirmé son caractère bénin, mais j'étais néanmoins angoissée... Je me réveille de l'anesthésie, en état de demi-veille, toute patraque. Mon mari me réveille, j'ouvre un œil : il était décomposé, vert, les yeux cernés. Il me dit "ça va" d'une petite voix blanche. "Écoute, il y a un petit problème, c'était bien un kyste, mais derrière le kyste il y a un cancer, il faut enlever le sein..." Et il éclate en sanglots.

Lui : « Tout de suite après l'opération, le généraliste qui est notre voisin est venu me voir au magasin pour me dire de passer tout de suite chez lui : "Écoutez, Claudine a une petite complication... Et il serait important d'avoir un entretien avec le Pr. M. pour plus ample information.'' J'ai tout de suite pensé au cancer, mais même le Pr. M. n'a jamais prononcé le mot de cancer, il a utilisé un nom savant, je ne sais plus, mélanome épithélial ? Et il a parlé d'ablation, pour être tranquille. ''Je vous signe tout ce que vous voulez, elle est sûre de s'en sortir si on opère...'' disait le médecin. »

« J'ai encaissé le coup, après trois, quatre secondes passées à enregistrer, à émerger. Je me suis mise à pleurer. De toute façon, je savais depuis toujours que j'avais un cancer. C'était confus, ça devait être comme cela, il fallait venir ici, j'y étais, la mutilation me paraissait inévitable et cela ne représentait rien pour moi... J'ai le souvenir d'une journée cauchemardesque, une somnolence entrecoupée de visites, ce n'est que le lendemain, juste avant d'entrer dans la salle d'opération, que j'ai craqué, que j'ai pleuré, pleuré... »

Claudine S., 40 ans et Gilbert S., 53 ans.

Six ans après

« Une grande fatigue, de la fièvre, des ganglions partout. Examens sanguins, biopsie, les médecins m'ont dit que j'avais un Hodgkin, que c'était curable. A l'âge de 17 ans, je ne savais pas ce que c'était, je ne

Dans cet univers, les cordons bleus sont les **gourmettes**. Ce sont elles qui mitonnent la gourmetture, servie à tout un chacun par les **navettes**, à la vélocité légendaire.

faisais pas le rapport entre ma maladie et le cancer. Je n'étais pas vraiment conscient, ma famille avait plus peur que moi.

Le choc est venu bien après, six ans après le début du cancer, et après ma deuxième rechute, lorsque la chimiothérapie n'a rien donné, je me suis rendu compte des limites de la médecine. Il y a un avant et un après. C'est la grande rupture, la vie qui bascule : "Cancer, j'ai un cancer." Le mot fatidique est lâché. C'est le choc, un moment plus ou moins long où, pour la première fois, on entrevoit, très présente, la mort. »

Ce choc, presque tous les cancéreux, à un moment ou à un autre, l'ont éprouvé. Certains dès la communication du diagnostic, d'autres au moment où la nature du mal ne peut plus être cachée. Pour l'éviter, combien de personnes se font complices du silence du thérapeute ou de celui, tellement lourd à porter, des proches. Il est vrai qu'il s'agit d'une rude épreuve, souvent ressentie physiquement comme « un coup de poing à l'estomac ». La personne est touchée dans son centre vital, c'est un très grand stress : « J'avais l'impression que le plancher se dérobait sous mes pieds. » Ce moment est cependant court ou ressenti tout à fait différemment chez d'autres qui, dans le même mouvement, se redressent déjà pour refuser : « Ce n'est pas possible, ça n'arrive qu'aux autres, ces choses-là, pas à moi... »

Des croyants s'en prennent au bon Dieu, beaucoup à la médecine, certains à eux-mêmes, tel ce jeune médecin : « J'ai été horriblement vexé que cela m'arrive à moi... »

Dans tous les cas, c'est cependant le face à face avec la solitude la plus profonde, cette solitude que l'on n'a pas eu le temps d'apprivoiser au cours de cette vie d'avant la maladie, une vie vécue pour les autres, pour des objectifs qui n'avaient, se rend-on compte à ce moment-là, que l'apparence de la vie : se défendre, se protéger, livrer des batailles, accumuler des objets, des titres, vivre pour les week-ends, les vacances...

Le choc de cette mort peut-être proche, en tout cas plus présente, oblige brutalement à regarder sa vie en face. Et certains sont même « heureux », sinon soulagés de pouvoir enfin vivre cet instant de vérité. « Malgré le choc, se mêlait une sorte de délivrance » écrit une malade.

Une attitude plus répandue qu'on ne pourrait le croire : « Lorsque j'ai appris que c'était une tumeur maligne, j'étais comme soulagée » dit une autre.

Soulagement de pouvoir prendre des décisions longtemps refoulées, soulagement aussi de pouvoir reprendre possession d'un corps, paradoxalement, au moment où il vous échappe, car ce corps, cela faisait longtemps qu'il parlait : « Je le savais bien que j'avais le cancer. Cela fait des années que je sentais que ça rongeait, là-dedans, bien que les médecins n'aient jamais rien vu à l'examen. » Une autre confirme : « Je ne peux pas dire que j'ai été étonnée lors du diagnostic. Mon corps m'envoyait des signaux. Lors d'une séance de relaxation profonde, dans un exercice sur les images, j'avais nettement situé une masse noire et menaçante sur le côté gauche de mon abdomen, où se trouve la rate. Le malaise que j'avais — j'ai dû arrêter l'exercice — m'avait laissé une impression profonde. J'ai une maladie de Hodgkin, à la rate... »

Rien d'étonnant alors si « malgré le choc, se mêlait une sorte de délivrance » chez une autre malade. Le fait de pouvoir re-connaître le mal, de savoir la nature d'une atteinte connue depuis longtemps inconsciemment, permet de vaincre l'angoisse, de se ressaisir.

Ici, les détritus sont détriturés par les **poubelleurs** dont la conscience professionnelle n'est plus à démontrer.

La vérité

C'est ainsi que l'on peut poser le problème de la vérité, problème qui empoisonne la relation patient-médecin, du moins en France, car outre-Atlantique, la vérité est automatiquement communiquée au malade.

Faut-il dire la vérité au malade ? Dans un pays démocratique et hautement civilisé comme le nôtre (ou qui devrait l'être...), on ne devrait pas cacher la vérité — et il y a tellement de façons — à un malade qui désire connaître la nature de son mal. La campagne menée notamment par la Fédération des groupes d'usagers de la santé (F.E.N.G.U.S.) et l'Impatient, et cherchant à obtenir le droit pour les usagers de la santé d'avoir accès au dossier médical, est dans cette perspective justifiée. Le droit de connaître son état de santé, quel qu'il soit, devrait être inscrit dans la Déclaration Universelle des Droits de l'Homme. On peut s'étonner que la lutte pour ce droit souvent bafoué n'ait pas été prise en charge par ceux qui luttent pour les droits de l'homme en général.

Les auteurs n'en veulent pas faire une obligation. Il s'agit de respecter aussi le droit de ceux qui préfèrent faire l'autruche. Croire qu'il y a deux camps bien tranchés, d'un côté les usagers ou les patients qui veulent connaître la vérité, de l'autre le corps médical qui est pour le secret, est éronné. De nombreux médecins se rangent en effet dans le premier camp et de nombreux malades sont partagés. Un sondage Figaro-Sofres montre la complexité des mentalités.

81 % des Français souhaitent que le médecin leur dise la vérité en cas de cancer ou de maladie grave.

58 % des Français estiment que c'est au médecin de juger s'il doit dire la vérité à son patient.

80 % des Français estiment qu'en cas de pronostic fatal, le médecin doit prévenir la famille plutôt que le patient.

51 % de Français estiment que les gens préfèrent qu'on leur dise la vérité.

Ces chiffres sont révélateurs. On veut bien la vérité, dans l'absolu, mais devant l'épreuve, on recule. C'est humain, pourrait-on dire. Que disent les usagers de la santé ?

Il faut d'abord prendre du recul vis-à-vis du mot cancer, dont la charge émotionnelle et mythique est grande. Que veut dire ici la vérité ?

Est-elle synonyme de condamnation à mort ? De ce qu'il ne reste plus au malade que trois mois ou un an à vivre ?

Les médecins sont-ils des dieux pour pouvoir s'arroger le droit de prononcer de tels verdicts ? La science médicale, qui fonde le pouvoir du médecin, est-elle infaillible comme le sont les dogmes émis par le pape ? Le progrès et l'évolution du savoir humain ne contredisent-ils pas toute attitude défaitiste ? Ce qui est vrai demain est faux après-demain, et aujourd'hui les thérapies se contredisent ou se complètent.

Tous les arguments rationnels ne peuvent cependant empêcher le stress. On ne gouverne pas comme cela l'inconscient. La vérité est ainsi productrice d'un stress plus ou moins profond, plus ou moins déstabilisant. Peu de cancéreux sont aussi indifférents que cette femme « en instance de divorce qui, lorsqu'elle a appris qu'elle avait une tumeur au sein », trouve son cancer « très secondaire, une tuile de plus », ou comme cette mère qui avait « à vivre un problème de santé concernant sa fille, ce qui lui a permis de dépasser le sien tout en restant vigilante ».

Ces personnes qui subissent déjà d'autres causes de stress, sont-elles réalistes et philosophes ? Ou ont-elles désamorcé le choc pour le reporter dans le temps, une fois les autres chocs digérés ?

Dans cet univers, les **ventilos** font de l'air et les **roupillieux** pioncent, apportant fraîcheur et repos à la communauté.

Nous allons voir dans le prochain chapitre que chaque personne a sa façon de vivre la situation nouvelle.

Pour la vivre dans de bonnes conditions, il est cependant nécessaire de reconnaître l'importance de la période de rupture. Sous le choc, la personne n'est pas encore en état de réfléchir, de résoudre n'importe quel problème concernant son avenir. En état de faiblesse, elle peut certes être manipulée par tel ou tel thérapeute. C'est le moment idéal pour imposer l'opération mutilante ou la thérapie dure ; c'est aussi le moment pour certains faux-amis ou membres de la famille bien intentionnés de régler les comptes sans qu'il y ait de réaction.

Si l'on veut aider la personne stressée, il faut commencer par ne pas partager sa propre panique, mais bien au contraire, mettre en place un climat aimant dans lequel celle-ci a le temps de vivre une deuxième gestation.

Avant même de parler thérapies, la personne en état de choc doit se ressaisir pour se retrouver. Et renouer ainsi avec une force — faut-il l'appeler force vitale ? — une force qui se nourrit à la racine même de l'être, et dans laquelle on puise la volonté de vivre, de guérir. L'imminence du danger est alors une stimulation. Ce sursaut de vie, comment l'utiliser et qui saura l'utiliser ? C'est à la personne concernée de ne pas étouffer cet élan vital, et tout au contraire de le laisser s'épanouir...

CHAPITRE II

Les lendemains du choc

L'heure des choix

Conduit par les événements

« Tout se brouille... et pourtant je file chez mon gynécologue prendre date pour l'opération. Je prends la décision. Une place est libre la veille de Pâques dans une clinique de la ville où le chirurgien peut m'opérer (bien qu'il s'agisse d'une veille de fête) dans huit jours. Il y a plusieurs années, j'avais travaillé à l'hôpital. Je ne faisais pas une confiance

Ici, « pilotavudné » par des **pilotants** attentifs, on avance au rythme du chant mélodieux des...

aveugle aux médecins. Cependant, dans ce cas, je me suis laissé conduire par les événements. » « J'ai fait confiance au corps médical. C'étaient les médecins qui avaient les armes pour me guérir, donc je les laissais conduire les opérations. »

Choisir

« J'avais le choix entre l'opération et les rayons. J'ai choisi les rayons, car je ne voulais pas être hospitalisée, ayant des enfants à charge. »

« On m'a proposé l'ablation ou les rayons. J'ai choisi l'ablation : on coupe, c'est fini. »

« La mutilation (du sein) me paraissait inévitable, on me présentait cela comme la seule alternative : "Ou je vous enlève la tumeur, ou alors je ne réponds plus de rien." Comme on venait le même jour de m'enlever un kyste, le médecin m'a quand même donné le choix : "Ou vous ressortez demain et vous revenez dans quinze jours ou on recommence demain, on l'enlève et dans six semaines on refait. C'est une opération bénigne de la peau." Je n'ai pas réalisé à ce moment que j'ai accepté d'être opérée tout de suite. »

L'angoisse est trop forte

« Je me suis effondré. L'angoisse était trop forte. Pour moi, le cancer voulait dire l'inconnu, des souffrances et la mort à plus ou moins brève échéance. Je me réveillais tous les matins avec une énorme boule dans la gorge. »

La révolte qui use

« Les premiers temps, j'étais en révolte permanente contre cette injustice. Cela usait toutes mes énergies. »

Le repliement sur soi

« Je n'ai pas voulu en parler autour de moi, je ne voulais pas être plainte ou cajolée pour cela. »

« J'aurais eu envie de tout quitter et de partir seule un temps. »

Je veux réfléchir

« Résultats du prélèvement fait au sein : ''Mon pauvre petit, les résultats sont mauvais, il faut vous opérer, vous avez un cancer.'' A ces mots, je ne vois plus rien, mon cœur bat la chamade, après avoir pris rendez-vous, une amie me récupère. Mais de quel droit décidez-vous tout pour moi ? Il est question de ma vie. Le cancer, savez-vous ce que c'est ? Vous avez établi tout un programme, je vous pose des questions, mais bien souvent, vous ne répondez pas, ou à côté. Alors je dis NON. Je veux réfléchir, je veux d'autres avis, je ne paniquerai pas, du moins je vais essayer de m'informer. »

Je pense à la suite

« Par le chirurgien, j'ai confirmation que c'est bien cancéreux, et j'attends avec lui les résultats d'anatomopathologie. Douze jours d'hos-

... **kanoyekayaks**, une tribu de gondoliers depuis plusieurs générations...

pitalisation et d'attente pour connaître le stade du mal. Dur, très dur tout cela. J'ai comme basculé en un tour de main, je suis là dans ce lit, le travail professionnel, ma vie quotidienne habituelle me paraissent loin, très loin. De mon lit d'hôpital, ce travail professionnel m'apparaît comme épuisant. Il l'était ces dernières années, mon travail dans un bureau, avec sa cadence stressante. Mais malgré ces mauvaises conditions de travail, l'ambiance y avait toujours été bonne.

Pendant cette hospitalisation, j'entrevois la suite : radiothérapie... chimiothérapie... visites, contrôles réguliers... Je ne veux pas de chimio, j'ai vu trop de gens tellement démolis, je le dis au chirurgien. Il ne répond jamais à cela.

Je crois lui en avoir parlé chaque fois que je le voyais, c'était une obsession.

Puis je pense à la suite : à part ces traitements que je subirai, quoi faire ? Il me vient à l'idée qu'un homéopathe pourrait peut-être m'aider... »

J'ai besoin d'amour

« La peur. Tellement profonde, refoulée, qu'à l'annonce du mot cancer, nous nous débattons comme quelqu'un en train de se noyer. A nous de nous saisir de ce qui va nous servir de bouée. Mais si nous ne réagissons pas, le trou noir de notre panique extrême s'accentue. L'important : se reprendre en main, se bousculer, s'aimer énormément, se chouchouter, se faire chouchouter si l'envie nous en prend, parler, s'informer, passer au-delà de nos peurs, des tabous, de notre éducation, de notre milieu ambiant, si besoin est, vivre ce que l'on a envie de vivre, s'éclater — et ce mot aura des résonances différentes pour chacun d'entre nous — et avoir foi dans la guérison. »

Depuis la connaissance de la « vérité », jusqu'aux premiers soins, s'ouvre une période cruciale pour le cancéreux. En état de choc, celui-ci a perdu pied et doit pourtant prendre une décision importante : choisir le traitement propre à le guérir. Peut-on choisir en état de stress ou en profonde dépression ? Est-ce un véritable choix, si l'on considère qu'il faut être en pleine possession de ses moyens pour véritablement choisir ?

On voit donc tout l'intérêt de bien digérer le choc, de bien assumer sa situation avant de prendre une décision. Inutile de rappeler que c'est le moment ou jamais pour l'entourage d'entourer le malade du maximum d'affection et de respect. Le climat d'affection péniblement mis en place au moment du choc — tout le monde est stressé à ce moment — devrait être opératoire.

Mais qu'il existe ou pas, la réaction du malade est une affaire personnelle. Chacun réagit à sa manière. Et personne ne peut prévoir cette réaction, à commencer par la personne concernée. Toutes les attitudes sont en l'occurrence respectables, et il n'appartient à personne de juger ou de critiquer telle ou telle réaction. Sachons simplement qu'elle conditionne le choix et la suite des événements. Il faut savoir que notre réaction est notre manière à nous d'aborder la vie, et qu'il est capital d'écouter ce que nous dicte notre instinct à ce moment-là : les animaux font cela.

Ces réactions sont de deux sortes. La première concerne les relations de la personne avec elle-même ; la deuxième, le type de relation qu'elle entretient avec le monde extérieur, y compris les thérapeutes. On pourrait schématiser en disant que moins quelqu'un est capable de recons-

... et sous l'œil scrutateur des **vigidproues** qui « guettoyent » le moindre obstacle sur la route de...

truire sa personnalité un moment défaillante, plus il est vulnérable à l'environnement, aux proches comme aux médecins, et à la maladie... Et plus il raffermit sa personnalité en profitant finalement de la rupture brutale survenue dans sa vie, moins il sera dépendant vis-à-vis des autres. Il s'agit de réaliser une véritable mutation : « J'ai commencé par accuser le coup, par souffler, assimiler ce changement brutal. La veille, j'étais un bien-portant. Ce jour-là, je devenais un malade. »

L'adaptation à la nouvelle donne est parfois surprenante : « Les huit jours entre la révélation et l'opération ont été terribles. J'ai annulé le contrat que nous venions de faire pour l'acquisition d'une maison. J'ai fait mon testament et j'ai distribué mes bijoux. » Cette malade réagit d'une façon complexe. Son réalisme est proche de la panique. Ses qualités d'adaptation sont telles qu'elle abdique face à la maladie.

Son attitude rejoint finalement celle du grand nombre, qui a le cachet de la normalité. On se remet pieds et mains liés aux spécialistes du cancer. Et toutes les structures sont là pour accueillir le patient paniqué : vous avez peur ? Nous sommes là pour vous tranquilliser. Remettez-vous à notre savoir, à notre technique sophistiquée, à la pointe du progrès, nous nous occuperons de votre tumeur, faites-nous confiance...

Quel meilleur anesthésiant pour l'angoisse qui tord les boyaux ? Pour la personne ainsi prise en charge, nul besoin de réfléchir sur sa maladie, sur sa vie, sur la conduite de la thérapie. L'attitude cultivée est la passivité. Le malade se donne à la médecine, comme il donne sa voiture au garagiste.

Avec un peu de doigté et de technique, le bon technicien peut réussir. Un certain nombre de cancers sont ainsi « guéris » ou du moins, la première étape de la thérapie se passe bien. Mais il vaut mieux respecter l'appel du malade : « Ne m'embarquez pas trop vite dans ce que vous croyez bon pour moi. Sachez comprendre mon désir profond. Entendez ma timide formulation. Alors seulement, vous pourrez m'aider à trouver une autre solution que la mort pour changer la vie... »

Pour le patient qui se retrouve seul à vouloir affirmer son attitude critique envers des rails tellement évidents au grand nombre, au stress du cancer s'ajoute alors tous les stress venant de la réaction négative des autres. Affirmer sa personnalité, remettre sa vie en cause, choisir les voies de la guérison, c'est pourtant déjà une bataille de gagnée...

Réagir : dans la vie, cela veut dire...

Toutes les réactions de type émotionnel sont bienfaisantes : cris, larmes, colères, rire, tremblements. Tant pis si ça choque et ne plaît pas à l'entourage ! L'important est de trouver avec qui se laisser aller.

Et si nous jouions à ce petit jeu ? Quand une pensée de la colonne de gauche vient à l'esprit, essayer de permuter sur sa voisine de droite.

— Je vais mourir, c'est effrayant !	— Puisque je n'ai plus rien à perdre, j'ai peut-être tout à gagner.
— Qu'est-ce que j'ai fait au Bon Dieu pour en arriver là ?	— Qu'est-ce qui me ferait vraiment du bien ?
— Au diable cette vérité !	— Enfin, je sais, enfin je peux lutter !
— Avant, je savais ce que *j'avais*.	— Maintenant je *suis* encore en vie !

Réagir, c'est renouer avec l'instinct, ses intuitions, ré-habiter son corps, sentir battre son cœur. Réagir, c'est ne pas hésiter à briser la carapace des habitudes, de l'éducation et à résister aux pressions de l'entourage et des institutions diverses.

... La vie.
Tout devrait donc marcher comme sur des roulettes, Or...

Sous le choc d'un diagnostic de cancer et alors qu'on parle d'une intervention rapide : consulter plusieurs médecins de formations différentes, et essayer de comprendre ce qui se passe à l'intérieur de soi-même. De l'ensemble de ces informations, une intuition se dégage sur ce qu'il est bon de faire : soit attendre encore un peu en surveillant l'évolution et en suivant un traitement de terrain, soit l'opération rapide. On peut aussi satisfaire un besoin de voyage, un désir longtemps enfoui... à chacun sa solution, l'important est :

1. d'être le mieux informé possible,
2. de passer des tests,
3. d'apprécier la nature et le stade de la maladie,
4. d'avoir le temps de consolider le terrain et les défenses de l'organisme,
5. de choisir, s'il est question de traitement agressif (en connaissance de cause, à savoir efficacité et importance des séquelles), le traitement le plus adapté à la maladie comme à la personne.

Notre comportement psychologique détermine en partie nos réactions biologiques, physiologiques. Le choix de l'action agit alors comme un signal stimulant de notre système immunitaire. Cela peut aider à inverser le processus de cancérisation.

CHAPITRE III

Le cancéreux et les autres : vivre ensemble la maladie

Le cancéreux

Je leur ai remonté le moral

Claudine, opérée d'un kyste au sein, apprend le même jour qu'une tumeur placée derrière le kyste nécessite l'ablation : « Mes parents sont entrés dans la chambre, ma mère boursouflée d'avoir trop pleuré, mon père était blême. Ils se sont assis et m'ont regardée, ne sachant pas quoi dire. Et finalement, c'est moi qui leur ai remonté le moral. Alors seulement, ma mère se rappela qu'elle avait eu des collègues de travail qui, dans la même situation que moi, s'en étaient bien tirées...

Personne ne s'était aperçu de rien.
Comme d'habitude, les **nicheux** « nichaient ».

A partir de ce moment, ma mère m'a maternée et mon père m'a beaucoup soutenue.

Le lendemain de mon retour de l'hôpital, une amie m'invite à dîner : vaste décolleté... Pendant tout le repas, elle m'a démoli le moral. C'était l'occasion pour elle de se venger d'une mésentente récente. Une autre amie au téléphone : "J'aurais préféré mourir plutôt que de me laisser enlever un sein." Et je ne l'ai plus jamais revue ; de même, un couple d'amis qui fait faux bond à trois invitations... J'ai l'impression que je dois personnifier l'angoisse pour cette amie ou ce couple.

J'ai ressenti une curiosité malsaine chez la plupart de mes collègues de bureau (des femmes). Par contre, certaines que je croyais de simples relations de travail se sont rapprochées de moi et sont devenues des amies. L'une d'entre elles, une ancienne cancéreuse depuis dix ans, est venue me rendre visite à l'hôpital dès le lendemain de mon opération. Depuis, nous nous fréquentons beaucoup. »

A travers des mots malhabiles parfois

Après le choc du diagnostic : « Je ne dors plus, je ne peux plus manger, et les enfants... Heureusement, j'ai une amie qui m'épaule, me réconforte, me bouscule quand il le faut, car mon mari est complètement dépassé par les événements, il ne peut rien faire pour m'aider, participer, il ne sait comment faire. Alors, peu à peu, je refais surface, je sais qu'il faut que je me bagarre, que je lutte, pour moi-même, pour ceux qui ont besoin de moi. »

« Célibataire, j'avertis ma famille (de l'opération) avec précaution, et quelques amis proches. Je ne me sens pas seule. J'avais déjà été opérée, mais cette fois-ci, c'était tout autre chose, j'envisageais l'avenir, plus que le présent... de nombreux amis m'entourent, ne savent comment dire leur affection, à travers des mots malhabiles parfois. »

Sauvée de l'emprise du mari

« Le cancer m'a vraiment sauvée de l'emprise de mon mari. Cela m'a permis de m'affirmer, de prendre mon indépendance. On avait toujours milité dans les mêmes associations, j'étais son ombre. Avec un cancer, on se bat seule ; et puis il avait eu peur de la maladie. Il ne venait pas à mes chimios parce qu'il avait peur, donc je me suis prise en charge complètement. Une anesthésiste m'avait glissé avant l'opération : « Faudra vous battre. » Cela m'a beaucoup aidée.

Il y a eu des heurts dans le foyer, parce que mon mari n'était pas habitué à ce que je prenne les rênes, que je sorte à des réunions, parfois au cinéma. Quand j'ai repris le boulot, il m'a dit qu'il aurait préféré que je reste à la maison, pour ne pas avoir à m'aider. J'ai trouvé ça un peu fort.

De toute façon, ce n'est pas mauvais de faire des choses différentes. Quand j'ai recherché d'autres thérapies, je dois dire que mon mari n'a pas du tout influencé mes choix.

Il y a eu l'association Santé-cancer aussi. C'était autre chose qu'un syndicat ou une association de familles. Même mon mari, quand il est venu la première fois, a été étonné : on était jeunes, pas tristes et plutôt dynamiques.

La perte de mon sein par contre n'a pas posé de problèmes et a été bien vécue au niveau du couple. Le cancer a été bien pris par mes enfants. »

Comme d'habitude, les gourmettes mitonnaient cette gourmette dont on disait qu'elle n'avait plus ce bon goût de gourmetture bien mitonnée. On s'y était fait.

Le patron m'a évincée

« Pour moi, le traumatisme du cancer, ça n'a pas été la maladie, mais le fait que mon patron en ait profité pour m'évincer de mon travail. J'étais préparatrice en pharmacie, j'avais de l'amour propre, cela m'a profondément marquée. Je ne peux plus voir un pharmacien. »

L'absence des autres

« J'aurais plus volontiers fait face à la vérité, si je ne m'étais sentie si seule face à cette condamnation, seule dans l'anti-chambre de la mort. »

Les proches

Peur de mal faire

« J'ai été angoissé tout au long de la maladie de ma mère. Je me sentais impuissant. J'aurais voulu l'aider, mais j'avais tout le temps peur de mal faire. »

« Pour ma sœur, je me sentais tellement démunie que j'ai voulu la protéger, la materner complètement. Elle a fini par réagir et me remettre à ma place. Je me suis rendu compte que je vivais vraiment le cancer à sa place. A la limite, je m'étais approprié sa maladie, c'est tout juste si elle avait son mot à dire. »

Tenir le coup

« Sa présence continuelle pompe mon énergie. Pour tenir le coup, je suis obligé régulièrement de m'en aller quelque temps. »

Cette maladie est encore plus difficile à vivre pour la famille quand la personne qui a un cancer ne le sait pas. « C'est terrible de vivre en ayant "l'air de rien" devant elle. On a une relation complètement faussée. »

Se battre

Mère d'enfant cancéreux : « Je me suis concertée avec mon époux : il faut lutter, se battre. »

Et les autres

« Il y a une dame dans mon quartier qui a un cancer. La pauvre ! C'est malheureux de voir ça... et dire qu'on ne peut rien faire. »

« Quand on me parle de quelqu'un qui a un cancer, je ferme intérieurement le rideau, je ne veux pas y penser. »

« Oh, mais ça ne se passe pas si mal que cela. La médecine a fait de grands progrès. Elle s'en tirera, allez... »

A l'heure actuelle, qui n'est pas proche d'un malade cancéreux ? Que l'on soit parents ou collègues, cette maladie nous concerne bien plus

La vie menait son petit bonhomme de chemin, ne sachant pas très bien où elle allait, mais y allant quand même, se laissant porter par le courant.

que n'importe quelle autre. Les groupements qui se sont constitués autour de cette maladie voient défiler beaucoup plus de membres de l'entourage que de malades.

Une des raisons en est que la personne elle-même ne connaît pas la nature de son mal, du moins dans la majorité des cas. Il revient donc à ceux qui savent de chercher à agir pour l'autre.

Cet intétêt pour autrui, peu courant aujourd'hui, est un élément favorisant la guérison, s'il est bien orienté.

Or l'entourage et le malade ont le même comportement que la société dans laquelle ils vivent ensemble. Si les proches veulent aider réellement le malade à guérir, il leur est nécessaire de savoir que :

— le cancer n'est pas obligatoirement signe de mort,

— le processus de cancérisation est réversible,

— le premier médecin, ce n'est pas le spécialiste ou le chirurgien, mais le malade lui-même,

— il ne faut pas faire une confiance absolue aux médecins,

— le malade peut recevoir la vérité, si l'on établit une relation avec lui...

Ne pas paniquer soi-même, savoir regarder la mort de l'autre en face, reconnaître sa propre responsabilité dans l'apparition du cancer, faire confiance au cancéreux en le considérant comme son premier médecin, décider de se battre, établir des relations avec lui sur d'autres bases si nécessaire. Tout cela n'est pas facile, et nombreuses sont les personnes de l'entourage, proche ou lointain, qui font défaut au cancéreux.

Celui-ci, dérouté, découvre qu'un tel, sur lequel il pensait pouvoir compter, se dérobe, que telle relation lointaine devient un interlocuteur présent et actif.

La relation (ancienne ou nouvelle) qui de toute façon est fondée sur une nouvelle donne, sur la présence de la maladie, ne doit pas pour autant être influencée et déséquilibrée par ce fait. Le malade peut être tenté d'utiliser son cancer pour avoir une emprise sur les autres, se déchargeant ainsi sur eux. L'entourage peut profiter de cette ambiguïté maître-esclave pour finalement vivre le cancer à sa place. Le nouveau type de relation devrait plutôt être basé sur une grande égalité (respect mutuel), de telle sorte que le malade puisse développer sa propre personnalité.

Pour pouvoir grandir, cette association de fait constituée de personnes œuvrant chacune pour vaincre la maladie doit aussi se nourrir de connaissances et d'informations diverses. Il s'agit là aussi d'établir des relations de non-dépendance avec le monde de la médecine, cette fois en s'informant, en acquérant un certain savoir et en l'ordonnant par un système de fiches par exemple.

Avec la meilleure volonté du monde, les non-malades ont leurs limites. Ce qui manque souvent aux personnes atteintes de cancer, c'est de pouvoir parler avec d'autres personnes confrontées à la même épreuve, ayant fait les mêmes expériences. Ensemble, on est plus fort. Se retrouver côte à côte contre l'ennemi commun, se soutenir mutuellement en échangeant des informations, en allant voir ensemble le médecin, en partageant espoirs et craintes, au lieu de se retrouver seul face à son angoisse, c'est se donner une chance supplémentaire de vaincre.

Ce besoin, un certain nombre de personnes, malades, anciens malades ou proches, militants de la santé aussi, l'ont compris, et ont créé des groupes « cancer » ou des associations qui existent aujourd'hui un peu partout en France.

Ces groupes sont majoritairement formés de personnes qui ont déjà traversé cette maladie et ont envie de partager ce qu'ils ont acquis durant leur pérégrination : en retour, le groupe leur ouvrira d'autres

Pourtant, depuis quelque temps, trébuchant et glissant sur des détritus abandonnés par des poubelleurs négligeux...

horizons et leur permettra d'approfondir leurs connaissances. Et cela dans un esprit d'écoute et d'entraide qui permet de réfléchir et d'aborder les différentes façons de se prendre en charge.

D'autres, pendant leur maladie, découvrent pas à pas qu'il y a une autre façon de vivre, d'être, de se nourrir, de respirer. Ils apprennent dans cette optique à développer cette énergie qui est en eux, à découvrir les forces qui ne demandent qu'à être entendues et fortifiées pour assurer leur guérison. Une écoute attentive, et si possible sereine, de personnes qui vivent ou ont vécu la même angoisse assainit l'esprit de toutes les pensées qui sont trop souvent des facteurs aggravants de la maladie.

L'objectif de ces groupes-cancer n'est pas de donner des recettes, mais d'élargir le champ de la connaissance, de diversifier le choix des thérapeutiques sans en privilégier une plutôt que l'autre. Le groupe redonne ainsi à chacun le sens de sa responsabilité dans sa maladie, dans sa mort aussi. Il peut mieux se faire entendre des médecins qui se battent pour une médecine plus douce, plus humaine et aussi plus globale. Il fait mieux comprendre à l'entourage l'importance de ce qui se joue au niveau de la personne malade.

Car le groupe est ouvert. En font partie malades ou bien portants, hommes ou femmes, jeunes ou plus âgés ; certains en partent, d'autres arrivent. Sa dynamique est basée sur le contact qui rompt l'isolement des individus et crée par cette relation une transformation des usagers de la santé en profondeur et dans le temps. Cette démarche déclenche la naissance d'un nouveau tissu social inexistant jusqu'alors dans le domaine de la santé et de l'éducation sanitaire. Pédagogique et informative, cette démarche est également affective au sens de soutien au malade. Cette relation des usagers entre eux, dans le quotidien de la maladie, influe notablement sur le vécu psychologique et intervient comme facteur de guérison ou de mieux-vivre.

L'entourage, mieux préparé à l'approche de cette maladie, se sent moins démuni, moins angoissé, et peut apporter une aide efficace au cancéreux. Il a compris qu'il n'a pas à prendre sur lui la maladie mais à aider le malade à relancer ses défenses immunitaires selon son propre désir. Il n'a plus peur de le rencontrer et donc de lui proposer ses services (garde d'enfants, aide matérielle, morale...) avec discrétion et respect.

Des associations, elles, luttent pour faciliter la réinsertion sociale et professionnelle en période de rémission ou après la guérison du malade.

Enfin des groupes de thérapie aident l'entourage et spécialement la famille à vivre le cancer d'un de leurs proches.

Mais rien ne remplace, pour avoir le goût de lutter pour vivre, l'amitié ou l'amour qui vous entoure. Et si la mort doit survenir, ce qui importe, ce n'est pas le nombre d'heures, de semaines ou de mois mais la qualité de la rencontre entre les êtres. Alors utilisons l'instant présent et le temps qui nous reste en plénitude.

CHAPITRE IV
L'engrenage

Paroles

Attente et urgence

« Découverte d'une petite boule au sein par mon gynéco : ponction, mammographie, thermographie = résultat normal, pas de cellules dangereuses. Le gynéco me conseille simplement d'enlever cette boule, sans urgence (meilleure sécurité en ménopause). Le mot cancer n'est pas prononcé.

Envisageant l'opération deux mois plus tard, je demande l'avis d'un autre patron gynéco : longue attente, 10 minutes de réception : "Vous

... les navettes avaient bien du mal à transborder la gourmetture.

n'avez rien, ne vous faites pas abîmer le sein pour une mastose, vous pouvez en avoir d'autres, c'est absurde, défendez votre corps.'' Je fais confiance.

Dans l'année qui suit, deux examens gynéco, sans observations particulières sur ma boule. Au 3e examen, panique : ''Vous n'avez pas fait d'examens depuis un an, c'est incroyable, refaites-les, très vite.'' Thermographie ; je suis examinée par le patron :

Lui : ''Il faut aller très vite dans un Centre, c'est urgent, vous avez un cancer, n'attendez pas.''

Moi : ''Si on me coupe le sein, est-ce que je guérirai ? (Je mourrai ?)

Lui : ''Il faut aller d'urgence.''

Moi : ''Pourquoi ne m'avoir pas parlé de cancer ou de risque au départ ?''

Lui : ''Vous étiez dépressive, je ne voulais pas vous angoisser.'' »

Rien de grave

« Juin 81, ma femme ressent une douleur à l'aisselle droite et consulte un généraliste, le Dr G. qui l'envoie à l'hôpital chez le Dr C. du pavillon E.

Par courrier du 1er juillet, ce médecin préconise un traitement : Tandéril et antibiotiques.

Ma femme consulte alors un autre spécialiste, le Dr V., du pavillon L. Celui-ci pratique un certain nombre d'examens : mammographie, thermographie et ponction du sein. Ce spécialiste, par un courrier, spécifie bien au généraliste que si la cytologie est suspecte, ma femme devrait se faire hospitaliser fin juillet.

Le 9 juillet, les analyses laissent supposer une tuberculose caséeuse, sans éliminer le risque de métastases nécrotiques.

Le 20 juillet, ma femme téléphone à l'hôpital. Le spécialiste lui dit : ''Il n'y a rien de grave, nous nous reverrons en septembre pour un nouvel examen.''

En novembre, nouvelle consultation auprès de ce médecin : la première biopsie est pratiquée. En décembre, suite à la deuxième biopsie : ''C'est un cancer très avancé, pourquoi votre femme n'est-elle pas venue plus tôt ?''

Je m'interroge : Pourquoi avoir donné à ma femme en juillet une réponse tranquillisante ? Et ceci par téléphone et non par écrit ? En décembre, le cas de ma femme est considéré comme irrémédiable. Par la suite, on lui a appliqué un traitement nocif pour les reins, qui n'a fait l'objet d'aucun suivi sérieux. On avait tenu ma femme à l'écart de cette décision, alors qu'elle avait déjà autrefois suivi un traitement pour ses reins. Ma femme n'a reçu aucune aide morale de la part d'une équipe soignante convaincue que la guérison n'était pas possible. Il nous a d'ailleurs toujours été difficile d'obtenir des entretiens autres "qu'entre deux portes".

Soigner, n'est-ce pas d'abord croire, envers et contre tout, à la guérison ? N'est-ce pas entretenir l'espoir sans pour autant cacher la vérité ? »

M. René C. adhérent à Réseau-santé
a envoyé ce témoignage
à l'hôpital Edouard-Herriot de Lyon.

Lequel d'entre nous n'a-t-il pas recueilli un témoignage de ce genre ? Il s'agit d'un engrenage qui ressemble à un scénario bien rôdé :

1er acte : roue libre-assurances infantiles-attentes-tests-soins bénins ou pas de soins.

Ceci n'arrangeait pas les affaires des kanoékayaks qui, mal gavés, avaient grand peine à pagayer. On s'y était fait.

2e acte : tests d'investigation-déclaration de l'état d'urgence-interventions impératives.

3e acte : enchaînement de traitements de choc : chirurgie, radiothérapie-chimiothérapie.

Chez Claudine, la malade déjà citée dans les chapitres précédents, ce scénario a été joué d'une façon caricaturale. 1er acte : nodule au sein-examen divers-ne vous inquiétez pas il s'agit simplement d'un kyste, une opération bénigne et on n'en parle plus. 2e acte : derrière le kyste, une tumeur-l'opération bénigne s'impose le plus rapidement possible, mais rien de plus, j'ai déjà programmé la reconstitution du sein... 3e acte : tout est bien, la tumeur était localisée, pas de ganglions, mais peut-être qu'une radiothérapie s'imposerait... mais rien de grave.

Avant le deuxième acte...

Chez d'autres, le premier acte est parfois escamoté, et l'on passe directement au deuxième. Par exemple, à l'occasion d'un dépistage ou d'une crise aiguë, la personne se retrouve à l'hôpital. Des examens sont pratiqués, une opération ou un traitement s'ensuivent. Une fois même, après une investigation sous anesthésie pour des hémorroïdes, une personne s'est retrouvée sans avoir dit « ouf » avec un anus artificiel. Malade et entourage sont mis devant le fait accompli « pour la survie du malade »...

Cet engrenage est fou

Même si un cancer se manifeste pour la première fois par un symptôme violent — hémorragie, occlusion, pneumonie, douleur aiguë, les médecins ne doivent pas profiter de la panique et de la douleur intenses pour entreprendre, selon leur spécialité, ce qu'ils jugent bon pour le malade. L'urgence réelle est très rare, affirment certains thérapeutes. Avant tout traitement agressif ou acte irrémédiable, il faut laisser au patient le temps de réfléchir et de choisir. L'exemple suivant est à cet égard parlant.

... D'abord profiter de la vie

« A mon travail, au cours de la visite annuelle, on m'a fait un frottis du col utérin. "Le résultat n'est pas bon, me dit-on. Allez voir votre gynécologue le plus rapidement possible !"

Angoissée, je prends rendez-vous pour le samedi suivant. Le verdict tombe comme un couperet : "Une colectomie est nécessaire. Quand pouvez-vous venir à la clinique ?"

— "J'ai des dispositions à prendre... Je vous téléphonerai."

Et je pars "sonnée".

J'appelle ma meilleure copine, qui est infirmière. "D'abord, me dit-elle, les résultats sont souvent illisibles et peu clairs. Va chez un autre gynéco pour avoir un autre son de cloche !"

J'en ai vu plusieurs. Pas de doute : il y avait des cellules cancéreuses. Mais une intervention m'affolait. C'est simple : je préférais en mourir... Mais au cours de mes démarches, autour de moi mes amies en discutaient : "Le plus urgent c'est peut-être, quitte à ne pas te faire opérer, de profiter de la vie et de faire ce dont tu as 'en vie', ce que tu désires !"

Pourtant, depuis quelque temps, on était balloté par des courants contraires, et l'on s'en sortait, tant bien que mal, à grands coups de barres de tribeur et de babeur, car les pilotants, mal éclairés par des vigidproues bigleux avaient bien du souci à pilotavudner,

Et c'est ce que j'ai fait. A Mulhouse, où l'on m'avait envoyée je n'aimais ni le climat ni mes conditions de travail et j'étais séparée de celui que j'aimais. Alors, je me suis dit : après tout, je repars à Aix. Je trouverai bien un petit boulot qui me permettra de "bouffer"... Quatre mois après, j'avais tellement repris goût à l'existence, malgré une fatigue persistante, que je me suis dit : il ne s'agit plus de mourir. Je vais aller voir où en est mon cancer. Il n'avait pas bougé. Alors, le gynéco m'a déclaré : "Si en quatre mois il s'est stabilisé, il n'y a pas urgence. D'ailleurs, il y a rarement urgence, la preuve ! Mais revenez me voir d'ici six mois ou avant, si votre fatigue augmente. Et, s'il en est au même point, je vous conseille l'intervention, car s'il redémarre ce peut être rapide !"

Et six mois après, j'entrais en clinique, sereine.

Tout s'est admirablement bien passé.

Il y a dix ans de cela. »

De fait, cette femme a eu bien de la « chance », car elle était restée pendant quatre mois sans surveillance médicale. Il vaut mieux, tout en gardant le même réflexe de survie et le même recul devant le traitement mutilant, passer des tests de terrain (encore mal reconnus par les instances officielles, voir fiches techniques), qui indiquent avec une certaine précision l'état de l'organisme. Dans ce cas précis, on peut imaginer que la jeune femme a suivi son intuition, ce qui est peut-être une des meilleures façons de se connaître. Mais on dit que les hommes n'ont pas d'intuition...

Cela ne dispense pas d'avoir une attitude rationnelle : il faut pouvoir choisir en connaissance de cause.

Des divergences

« Le malade et son entourage ont toujours la possibilité de ne pas subir le traitement prescrit : même dans le cas où j'étais, c'est-à-dire face à un chef de service hospitalier ne prenant pas la responsabilité de s'adresser directement au malade et m'assénant le verdict qu'il fallait opérer sans tarder, donnant très parcimonieusement les informations concernant les risques opératoires, les pronostics avec ou sans opération et cherchant visiblement à "garder son cas", je peux témoigner qu'on peut faire sortir le malade et récupérer les dossiers en signant une décharge et en s'entendant dire qu'on va faire mourir son père ce faisant. »

La suite conforte cette personne dans son choix : « Il y a eu divergence complète sur la conduite à tenir. Des deux grands "pontes" que j'ai consultés, le dossier sous le bras, l'un était tout à fait contre l'opération, pensant que cela ne changeait rien au pronostic de vie de toute façon très court, l'autre, tout en reconnaissant que l'opération avait très peu de chances de succès, envisageait comme un « crime » le fait de ne pas la faire, car cela risquait d'entraîner d'énormes complications et souffrances (ce qui s'est par la suite révélé inexact). Pas un de ces spécialistes n'a cru bon de faire en sorte que le malade fasse lui-même ce choix.

Seul un autre spécialiste, très humain, et tout en évitant de prononcer le mot de cancer, a dit à mon père : "Tous les problèmes que vous avez actuellement viennent de vos reins, et ne peuvent être résolus que par une opération qui comporte des risques. Voulez-vous vous faire opérer ?" A cette question claire, mon père a enfin pu répondre clairement. »

Ce qui, ajouté au charivari général, empêchait les roupillieux de pioncer en paix, d'où cette lourde lassitude qui n'épargnait personne et compliquait d'autant la situation.

Il faut donner au malade suffisamment d'éléments sur son état pour qu'il puisse avoir le choix des thérapeutiques, s'il y a risque d'échec ou effets secondaires. »

Il faut jouer cartes sur table, et bien expliquer au patient la manière dont son organisme va réagir au traitement suivi. L'exemple suivant montre que la connaissance de ses symptômes permet de mieux les supporter.

Mon bras bougeait

« Dans l'ascenseur qui me menait à la salle d'opération, allongée sur la civière, l'infirmière me dit qu'il fallait que je sois patiente avant de recouvrer l'usage complet de mon bras après l'opération (ablation du sein). J'ai un coup au cœur, le médecin ne m'avait rien dit. Lorsque je me réveille de l'anesthésie, la première chose à laquelle je pense, c'est à mon bras. Délicatement, je le lève et m'aperçois avec stupeur que cela se passe bien, qu'il bouge presque comme avant, n'était-ce une légère douleur, et le bandage. Je pense que ma volonté de le bouger a beaucoup joué. Le médecin était d'ailleurs tout surpris de la facilité avec laquelle je le tendais. Après l'opération, réussie — il n'y avait pas de métastases ganglionnaires — on me conseille une radiothérapie, alors qu'il n'en avait pas été question avant l'ablation.

« ... Mais ça va me fatiguer ? — Pas du tout, de nombreuses femmes suivent le traitement tout en travaillant... A la troisième séance, j'étais déjà k.o., allongée derrière dans la voiture car je ne tenais plus debout. Brûlure d'estomac, mal au dos, vertiges, sensations d'oppression, je tombe à moitié dans les pommes en sortant de la voiture. Mon mari me mène chez le généraliste du quartier : "Vous couvez une grippe, prenez de l'aspirine et G. pour l'estomac, ça passera." A la septième séance, je tombe inanimée, je ne peux plus respirer, j'étouffe. Mon mari m'emmène à la clinique où le Dr me regarde : "Qu'est-ce que vous avez donc ?" Il me donne un calmant : "Dans cinq minutes ça va passer." Il y avait près de cinq personnes, médecins et infirmières à me regarder. Ils se décident enfin, et appellent un cardiologue. L'électrocardiogramme est normal et j'étouffe toujours. On finit par me donner une piqûre de calcium et cela va mieux, je peux partir. Sur l'ordonnance, on écrit "insuffisance cardiaque". Je prends un jour ces cachets, je suis abrutie. On m'avait donné des calmants. J'ai tout arrêté et tout jeté à la poubelle. Et les crises revenant, je me faisais faire une piqûre de calcium et prenais des comprimés pour les brûlures d'estomac, tout en continuant ma radiothérapie. Une grande fatigue s'ajoute au reste, dormir, dormir. Et jamais personne n'a fait la relation entre mes maux et la radiothérapie. Jusqu'au jour où mon généraliste, qui m'avait même interdit de boire de l'alcool, alors que je ne bois jamais plus d'un verre de vin, a lu dans la presse médicale qu'en cas d'irradiation de la chaîne mammaire, les rayons touchent aussi le foie... »

Qu'un généraliste soit obligé de réparer l'omission d'un spécialiste est une chose, mais ce qui dans ce cas paraît outrancier semble bien une règle générale. Le patient est considéré comme un objet que l'on doit sauver de la destruction en éliminant l'agresseur : le cancer.

Dans cette guerre, tout est permis, même des expérimentations presque aussi dangereuses que le mal que l'on veut vaincre. Cela va peut-être changer grâce aux comités d'éthique qui sont en train d'être mis en place et grâce à une nouvelle loi, en gestation à l'heure où ces lignes sont écrites, laquelle donnera à l'« expérimenté » le droit de refuser. Mais un changement d'esprit ne se décrète pas... Il vaut mieux compter sur soi pour prendre la direction des opérations.

On s'y était fait... sauf pour certains kanoékayaks dépressifs,

CHAPITRE V

Le vécu des traitements

La médecine au pluriel

« Puis je pense à la suite. A part ces traitements que je subirai, quoi faire ? Il me vient à l'idée qu'un homéopathe pourrait peut-être m'aider. Je n'ai pas d'adresse, je demande à une amie.

Je téléphone de la clinique : "Pas de rendez-vous avant 6 mois !"... J'explique... J'ai un rendez-vous à ma sortie de clinique.

J'ai chez lui un accueil simple : "Que voulez-vous de moi ?" "Que vous m'aidiez à vivre ce que je vais avoir à vivre, spécialement pendant les rayons, avec les moyens que vous avez."

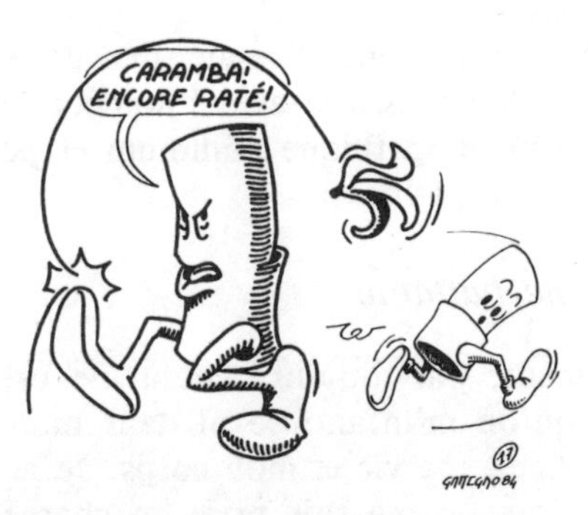

sauf pour cette navette qui, pour ne plus glisser ou trébucher, tentait de détriturer à la place des poubelleurs,

De suite je démarre un traitement de Sérocytols (de Thomas), puis un traitement homéopathique proprement dit, avec aussi des oligo-éléments.

Dans le même temps, je suis embarquée pour de la radiothérapie. J'ai un contact sympathique avec le médecin radiologue qui me prend en charge. Des rendez-vous me sont donnés. Je rentre dans le circuit. Cette salle d'attente m'aura marquée : chacun vient avec ses problèmes, sa lourdeur, son courage et aussi son découragement. On échange peu de choses, mais nous pensons beaucoup.

Les rayons me fatiguent beaucoup, ils me brûlent localement. Je suis ménopausée par des rayons sur les ovaires. Pendant ces 40 jours, je reste en famille, mais j'ai hâte de partir en repos loin de la ville. Je n'en peux plus.

Le radiologue qui me suit me conseille de partir en maison de repos. Après deux mois et demi, je reviens en consultation. Le radiologue me dit : "Je vous donnerai un traitement, mais pas encore, il faut vous rétablir mieux." De nouveau deux mois de repos. J'insiste : "Ce ne sera pas de la chimio ?" Je reconnais être bloquée à ce sujet, sans raison objective me concernant. C'est un fait. C'est comme cela que je réagissais. Il m'affirme que non.

Dans le même temps, je revois l'homéopathe, qui confirme son traitement.

Suite à ce nouvel arrêt en maison de repos je reviens et commence le traitement de Nolvadex.

Je supporte mal ce traitement. J'essaie d'en parler au radiologue qui me diminue la dose. Je revois cela avec l'homéopathe. Actuellement, je continue un traitement allopathique minimum et poursuis le traitement de Sérocytols et l'homéopathie. »

Je pouvais être une battante

« Pour le traitement, j'ai toujours voulu me prendre en charge. Je n'ai pas supporté qu'on m'infantilise ni dans mon entourage ni de la part des médecins. C'est ma vie et mon corps. Je ne veux pas céder une parcelle de la décision. Je me suis prise en charge seule. J'ai fait un carnet personnel avec tous les résultats des bilans.

J'ai découvert que je pouvais être une "battante", ce à quoi ni mon tempérament, ni mon éducation ne m'avaient préparée. Je m'informe sur la maladie. J'ai été amenée à remettre en question beaucoup d'idées reçues sur la médecine. Peu à peu, je me suis soignée différemment et je tiens à "être dans le coup" de tout le traitement. J'ai pris conscience du rôle de la psychologie dans la genèse du cancer et son évolution : je me resitue dans mon histoire personnelle, je reprends ma place dans la cellule familiale et à l'extérieur, et je veille à écouter un peu plus mes intuitions profondes.

Je me suis rendu compte de l'importance du mental, d'un bon moral. Je m'exerce à toujours me tourner vers des idées positives, stimulantes, à garder à l'esprit mes envies de vivre.

Tout cela m'a peu à peu amenée à élargir ma vision du monde et à réintégrer la spiritualité dans un monde matérialiste et rabougri. »

Pour une médecine pluridisciplinaire

« Deux ans après la déclaration d'un Hodgkin (stade 2), je rechute malgré une rémission complète consécutive à une seule cure de chimio et une cobaltothérapie suivie d'une chimiothérapie d'entretien d'un an et demi. Cette fois, c'est le stade 4, avec atteinte pulmonaire. Je fais

sauf pour ce pilotant, peu préparé à pagayer,

cinq cures de chimiothérapie dure, et au bout de la cinquième, des ganglions reviennent sous les bras. Du coup, j'arrête toute chimio et pendant un an je suis une viscumthérapie et je prends des sérocytols. Puis j'ai refait des chimiothérapies dures et légères en suivant aussi parallèlement, entre deux cures de chimio, des traitements comme le viscum Album, la thymus thérapie, la biothérapie gazeuse, le bol d'air Jacquier. Mais mon état est toujours stationnaire, je crois que j'ai un blocage d'ordre physique.

C'est à la deuxième rechute, lors de l'apparition des ganglions, que j'ai pris conscience des limites de la médecine ; j'ai eu un sentiment de révolte à l'égard des médecins. Avec du recul, je pense que la médecine classique n'est pas à rejeter : ses cancérologues ont leur vision de la personne, et elle tient compte de 50 % du problème. Ils sont ultraspécialisés et travaillent sur dossier : seuls le nom et la date de naissance correspondent vraiment au malade, le reste, ce sont des chiffres, des rapports d'analyse... C'est un élément non négligeable, pour certaines personnes, non conscientes d'une réalité différente. C'est la seule indication.

Mais à mon avis, à l'heure actuelle, quelles que soient les méthodes, que ce soient les thérapies hospitalières ou les méthodes parallèles, aucune médecine n'est une science exacte ; ce n'est même pas une science. Vouloir ainsi favoriser certaines thérapies par rapport à d'autres, c'est une "normalisation".

Celle-ci est très forte en milieu hospitalier, mais à partir du moment où l'on affirme sa volonté, on arrive à l'imposer. Ainsi lorsque je leur ai dit que je voulais me soigner autrement, ils ont essayé de m'en dissuader en disant que c'était de la poudre de perlin-pinpin. Mais je me fichais de ce qu'ils disaient. Comment peuvent-ils admettre autre chose alors même qu'à l'intérieur de l'hôpital, tout est ultra-spécialisé et cloisonné et qu'ils n'ont aucune formation psychologique ?

Ils n'ont aucune connaissance de la globalité de la personne. Comment peuvent-ils reconnaître un malade qui a besoin d'un traitement psychique, celui qui a un soutien familial ou celui qui est seul, celui qui est capable de se prendre en charge ? La thérapeutique à suivre sera différente selon les cas.

Mais dans la mesure où les médecins ne sont pas capables de prendre en charge la globalité de la personne, il faut des équipes pluridisciplinaires. Cela serait possible dans les centres anticancéreux actuels. Pour l'instant, c'est loin d'être le cas. Le fait que toute maladie est psychosomatique n'y est pas reconnu. On veut bien reconnaître le rapport entre le psychisme et la maladie, mais comme on ne connaît pas les ponts entre le psychisme et le corps, ce n'est pas rationnel. On privilégie les anciennes certitudes, le matériel. On pourrait penser que les médecines parallèles sont plus proches de cet aspect psychique de la maladie. A part Bob, le médecin qui anime les séances Simonton, et qui aurait plutôt tendance à tout expliquer par ça, les autres me sont apparus comme des spécialistes ayant une vision des choses bien dogmatique. »

La réappropriation par le malade de sa maladie est une des facettes du « cancer ». A partir du moment où le patient devient une personne malade et un sujet actif, on ne peut plus parler d'engrenage. Le traitement est librement assumé.

Mais ceci n'est qu'un vœu dans la plupart des cas, tant que le patient n'est pas aidé psychologiquement. Apporter ainsi une aide psychologique à la personne angoissée et stressée est la première forme que peut revêtir l'introduction du « psy » à l'hôpital.

Soigner plus profondément les causes psychiques de la maladie en est la deuxième. Cela a déjà été fait expérimentalement ici ou là, mais

pour ce poubelleur, pas fait pour dormir.

l'hôpital actuel est encore loin de s'ouvrir aux psychologues-cliniciens ou thérapeutes. On pourrait aussi se demander s'il faut se battre pour réintroduire de nouveaux spécialistes dans un univers et une structure sans âme.

On pourrait méditer sur ce qui s'est passé justement avec une structure hospitalière spécialisée, l'hôpital psychiatrique. Celui-ci est aujourd'hui remis en question au profit d'une psychiatrie de « secteur » éclatée dans les quartiers.

Fonder, en parallèle avec les centres hautement spécialisés, de petites unités de quartier, dans lesquelles serait pratiquée, par une équipe pluridisciplinaire, une médecine ambulante et surtout de prévention, voilà la seule revendication réaliste (proche du réel) pour tous ceux qui veulent une médecine humaniste et humanisée.

C'est dans ce cadre qu'une psychothérapie systématique, incluant le cadre familial, le cadre de travail... pourrait être mise en œuvre. C'est aussi dans ce cadre que le généraliste pourrait jouer le rôle essentiel qui devrait être le sien, celui de partenaire privilégié du malade.

Pour l'instant, un grand nombre de médicaments actifs contre le cancer ne sont pas remboursés par la Sécurité sociale et les caisses mutuelles. Des cancéreux sont obligés de mendier sous forme de demandes à la commission des remboursements supplémentaires de la Sécurité sociale (qui concède ou non le remboursement, selon l'humeur du moment et la somme demandée), obligés de faire un procès pour le remboursement de la biothérapie gazeuse (préparation magistrale) normalement remboursée d'après la loi, ou de menacer d'un suicide les instances officielles (S.S. ou mutuelle de l'Éducation nationale) si le traitement d'un an de thérapie parallèle, qui permet d'éviter l'hôpital (soit une somme de 10 000 F), n'est pas remboursé.

Il y a deux ans, nous sommes allés jusqu'à la présidence de la République avec Jean-Pierre Gillot (Hodgkin stade 4, 28 ans) accompagnés d'André Fougerouse, maire du Bas-Rhin. Jean-Pierre a été remboursé (mais par une procédure exceptionnelle). Le problème de fond existe toujours.

Le point de vue des usagers

Une chose est certaine : nous ne sommes pas habilités à dire si une thérapie est bonne ou mauvaise, si on nous le demande. C'est au médecin en tant que technicien qu'incombe cette responsabilité. Et c'est une lourde responsabilité. Nous n'en avons pas assez conscience parfois dans nos groupes, où on leur demande de se dépasser...

Mais en matière de cancer — à part quelques cas très précis — le médecin non plus, ne peut avoir de certitudes.

A l'heure actuelle et dans la société où nous vivons, il nous semble impensable de déconseiller à qui que ce soit d'utiliser la médecine officielle. Elle a fait ses preuves pour soigner les symptômes, éradiquer le tissu malade. De nombreux patients ont confiance en elle.

Son histoire, ses outils, son organisation centrée sur l'hôpital constituent autant d'obstacles difficiles à surmonter pour devenir une médecine de l'homme global qui privilégie le terrain à l'organe.

Elle doit, pour ne pas devenir dangereuse — iatrogène — accepter de partager son pouvoir et prendre en compte d'autres démarches thérapeutiques.

Parce que les usagers et les malades, comme les médecins, ont un long passé, un long vécu, une longue pratique de la médecine officielle,

Bref, c'était la gabegie !
Sournois, un vent de panique s'installait, mal ventilé par des ventilos épuisés.

même si, intellectuellement ou instinctivement, la médecine de terrain nous paraît plus logique, la peur ressurgira du plus profond de nous-mêmes, lorsqu'il faudra lui faire entièrement confiance ou l'abandonner. Toutes nos habitudes de pensée, notre éducation, nos réflexes, nous aiguillent, nous dirigent vers ce que nous avons toujours pratiqué... Ne dit-on pas : « L'habitude est une seconde nature ? »

Et c'est pour ces raisons que l'attitude de la médecine officielle nous étonne, car lorsqu'elle condamne la médecine douce (en mélangeant allégrement ce qui est valable et ce qui peut l'être moins) elle donne à penser qu'elle-même peut être détrônée et remplacée.

Aucune autre maladie n'a révélé de façon aussi manifeste la cohabitation de deux voies thérapeutiques, l'une dite « officielle », l'autre nommée « parallèle ». Et l'on peut penser que les difficultés rencontrées par la médecine officielle pour trouver des traitements réellement efficaces dans le domaine du cancer ont favorisé :

— la résurgence de thérapies anciennes ;

— le développement de recherches isolées dont les résultats sont diffusés et pratiqués avant d'avoir pu obtenir expérimentation et approbation du chercheur.

Notre point de vue d'usagers n'est pas de nous rallier à tel ou tel camp (tel ou tel clan), mais d'apporter une troisième voie à ce face à face stérile qui renvoie chacun à ses excès, ses échecs et ses compromissions. Pour nous, il n'y a pas d'un côté les « scientifiques », les « officiels » et de l'autre les « empiriques », les « bricoleurs », les « parallèles », les « charlatans ». Nous savons qu'il existe dans les deux groupes des thérapeutes de bon sens, qui construisent discrètement des pratiques convergentes. Loin d'opposer les deux médecines, ils utilisent leur complémentarité pour ajuster et contrôler leurs traitements.

Qui subit en effet, sinon le malade, les conséquences de cette opposition ? Qu'entraîne le manque d'information sur les thérapies complémentaires, information objective, diffusée par les médias, qui s'attacherait à décrire et expliquer les effets différents de chaque thérapie ?

Nous constatons que, dans la réalité, cette sous-information de la variété des moyens thérapeutiques mis à la disposition du patient, tant dans la structure officielle qu'en médecine douce, aboutit aux situations suivantes :

— Peu de malades débutent leur traitement par l'utilisation de thérapies douces, en complément d'une thérapie officielle. Bien souvent, ce sont l'échec ou l'inconfort des chimios ou radiothérapies, la peur de l'ablation d'un organe ou la nécessité d'assumer un handicap, qui décident le malade à entreprendre une autre démarche thérapeutique. Ce n'est qu'après avoir mis le doigt — ou autre chose — dans l'engrenage, que les malades découvrent « par la bande » l'existence de telle ou telle thérapie.

— Hésitant sur le choix, angoissés à l'idée d'abandonner un traitement classique, ils passent d'un thérapeute à l'autre, mélangeant souvent les traitements, sans prévenir leurs thérapeutes respectifs. Cette conduite anarchique du malade qui, faute d'un système de soins cohérent, ballotte d'un côté à l'autre et abandonne l'une ou l'autre thérapie amorcée, est néfaste. Chaque filière de soins évoque des cas « récupérés », à la limite de la survie...

— Des malades abandonnés par la cancérologie officielle sont prêts à accepter n'importe quel traitement, y compris le plus charlatanesque, du moment qu'on leur promet une guérison.

Mais ce manque d'information officielle gêne également les médecins généralistes ou spécialistes et le corps médical tout entier, et ne permet pas qu'un climat de confiance s'établisse entre patients et thérapeutes.

La pénurie de médecins ouverts à cette double voie thérapeutique est

C'est une gourmette qui, la première, exprima le RAS L'BOL :

quasiment dramatique. Nous pouvons en témoigner dans nos groupes santé. Les demandes en ce sens sont incessantes, et le petit nombre de médecins formés à cet effet s'épuise et tarde à se renforcer.

Il existe un blocage manifeste au niveau des lieux de traitement à s'intéresser à une autre recherche ou à accepter, même à la demande d'un thérapeute ou du malade, des thérapies douces. L'ironie est de mise devant les « petites pilules » posées par le malade sur sa table de nuit...

Quant au manque d'expérimentation ou d'agrément officiel, tout se tient, ils entraînent un non-remboursement du traitement, donc font supporter aux malades des charges financières importantes. Nous connaissons des malades qui ont un budget de plus de 1 000 F par mois à leur charge.

Cet ensemble de conséquences marginalise ces thérapies, en rend la prescription rare, l'approvisionnement difficile et le coût financier élevé (cf. tableau des remboursements).

Or, nous, usagers, disons ceci : le but des thérapies est de nous débarrasser de notre cancer et nous pensons que les médecines officielles nous apportent, en dehors du fait d'être connues et reconnues par le plus grand nombre :

— le sentiment d'une organisation, d'une vigilance et d'un contrôle de la qualité des soins,

— la sécurité de l'expérimentation, le savoir des praticiens et la haute technicité des appareils sophistiqués des établissements spécialisés.

Mais elles laissent le malade dans une grande dépendance.

• Il est à porter au crédit des médecines complémentaires :

— le fait d'être moins agressives, mieux maîtrisables par la personne,

— d'aller dans le sens de la stimulation positive du terrain tant psychique que physique.

Cela explique que des malades de plus en plus nombreux entreprennent des démarches actives pour les rechercher.

Aussi les usagers proposent-ils une sorte de fil d'Ariane[1], qui permette, dans le labyrinthe des thérapies, de trouver au jour le jour un itinéraire thérapeutique.

1. Voir tableau page 68.

Pour vaincre son cancer, il y a deux fronts possibles, chacun devenant prioritaire à un moment donné :

1) *Globalement,* l'état de santé en général : reconstitution des défenses naturelles, retournement du moral et du psychisme, changement de mode de vie (alimentation, aération, mouvement...).

2) *Localement,* au niveau de la tumeur, pour stabiliser, faire régresser, éliminer, de toute façon empêcher de nuire.

Dès le dépistage du cancer, nous avons tenté de trouver le fil sur lequel tirer pour démêler, dénouer tous les éléments qui ont décidé de la maladie (alimentation, pollution, conditions de travail, stress, perte de vitalité). Inscrites dans les profondeurs de l'inconscient, codées dans certaines de nos cellules, les raisons de notre maladie échappent en effet, volontairement ou involontairement, à notre conscient. Ce travail d'élimination, un généraliste ou un psychothérapeute vont le partager avec le patient. Ce regard sur le « moi », mené de concert avec les tests d'évaluation biologique du terrain (cf. 2e partie) donne de multiples indications. Toute une batterie d'examens nous permet de savoir où nous en sommes, par exemple :

— la radiographie, le scanner ou le R.M.N. apprécient l'état des tissus ou du squelette ;

— les techniques de la radiesthésie, de l'auriculothérapie, de la bioélectronique... s'utilisent pour mesurer l'état énergétique et mettre en évidence la quantité rythmique bien spécifique du terrain malade ;

Un cri de colère qui avait suffi pour rassembler les mécontents, les réfractaires, les inquiets, les écœurés et les etceteras.

— l'astrologie situe notre être dans ses interdépendances cosmiques, etc.

Il ne faut donc pas s'étonner de la multiplicité des examens et des tests, car chacun séparément n'est pas fiable à 100 %, certains cancers sont même muets biologiquement. L'art du thérapeute consiste à les synthétiser correctement pour avoir l'image la plus exacte possible de l'état de la maladie.

Cette étape sera aussi l'occasion d'un regard sur le corps : ostéopathe ou kiné mettent en évidence les obstacles (tels que malformations, tensions musculaires, faiblesse de l'élimination) à la libre circulation de l'énergie, obstacles qui impliquent la mise en œuvre de thérapies appropriées.

Cette phase d'approche du soin (déjà thérapeutique en elle-même) est aussi la prise de conscience de l'entourage et la clarification de nos relations avec les autres, ce qui peut entraîner des ruptures salutaires.

En possession de tous ces renseignements, chacun sent ce qui lui convient :

— pour l'un, c'est l'urgente nécessité d'un changement alimentaire ;

— pour l'autre, très affaibli et hésitant, l'urgence est de retrouver de l'énergie ;

— pour un troisième, et après réflexion, l'opération semble possible...

Sur le cancer, maladie synthèse*, les thérapies les plus variées peuvent avoir un effet bénéfique. Chacun, selon son propre cas, établit avec le thérapeute sa propre hiérarchie.*

Thérapies officielles et médecines douces nous proposent une panoplie de remèdes qu'il convient dans de nombreux cas d'associer pour obtenir amélioration, stabilisation et rémission ou guérison. Les médecines douces, en effet :

— renforcent le terrain avant la chimio, la radio ou l'opération ;

— en association, elles en augmentent l'action et suppriment en grande partie les effets secondaires ;

— après, elles consolident le terrain et évitent des rechutes.

Pourtant, l'une ou l'autre voie, utilisée seule, peut donner satisfaction à certains malades. Rien n'est tout blanc ou tout noir.

L'alternance d'inquiétude et d'espoir tout au long des thérapies est normale.

Un tableau schématique[1] des structures permet de situer les lieux de traitement. Mais la liberté de choix appartient au malade, c'est lui qui, en finale, engage son corps, sa vie.

Deux outils :

1 — Le livret thérapeutique du malade

Être un malade actif, capable de gérer sa maladie, est-ce à la portée de tout le monde ?

Sans doute, selon la formation, le milieu culturel environnant, les niveaux de compréhension d'un traitement seront différents.

Soigner un cancer, c'est faire disparaître la tumeur, consolider le terrain... Un traitement long, qui peut durer des années. Passer d'un thérapeute à l'autre, communiquer des résultats de tests, des remarques, des comptes rendus de radios, etc., demandent un minimum d'organisation.

Lorsque les autres virent cela, ce fut terrible.
Tous de se transformer, qui en guerriens, en générants ou en caporeux, avec pour seule doctrine : « Se débarrasser de cette chienlit. »

1. Voir p. 83.

Plusieurs malades ont fait l'expérience d'établir, pour ce suivi, leur propre dossier médical, qu'ils gèrent eux-mêmes, notant, aux différentes étapes des traitements et des tests, les effets de ces derniers, leurs impressions tant physiologiques que psychologiques, etc. Bref, l'originalité de leur itinéraire dans la maladie. A force de questions, ils sont devenus capables d'interpréter à peu près correctement leurs tests, de prévenir le médecin de l'apparition de symptômes particuliers... Ils ont acquis tout un savoir sur leur maladie, savoir qu'ils peuvent transmettre à d'autres malades.

Deuxième niveau d'intérêt : la recherche et la mise en évidence dans le contexte actuel de l'efficacité des méthodes convergentes dans le traitement du cancer. La science, pour progresser, a besoin d'outils, et les traces fidèles et vécues d'évolution d'une maladie peuvent être précieuses pour comprendre, progresser.

2 — Le dossier médical

La Fédération Nationale des Groupes d'Usagers de la Santé (F.E.N.G.U.S.) et le journal *L'Impatient** ont lancé une

PÉTITION POUR LE LIBRE ACCÈS AU DOSSIER MÉDICAL

RECOPIEZ CETTE FEUILLE ET FAITES-LA SIGNER AUTOUR DE VOUS !

Estimant indispensable de garantir aux malades hospitalisés le droit d'être informés sur leur propre cas, je souhaite que :
• tout patient qui en fait la demande puisse **consulter l'intégralité de son dossier médical**, si besoin est, avec l'assistance d'un médecin qui pourra lui apporter les explications nécessaires ;
• tout patient qui en fait la demande puisse obtenir **copie de toute pièce de son dossier médical** ;

* F.E.N.G.U.S. : 18, rue Victor-Massé, 75009 Paris.
L'Impatient : 9, rue Saulnier, 75009 Paris.

• le transfert d'un patient dans un autre service ou un autre établissement **s'accompagne obligatoirement du transfert de son dossier médical** dans le nouveau service ou le nouvel établissement.

Nom	Adresse	Signature

Ils firent un horrible carnage, auquel succéda, bientôt, une profonde hébétude.

FIL D'ARIANE

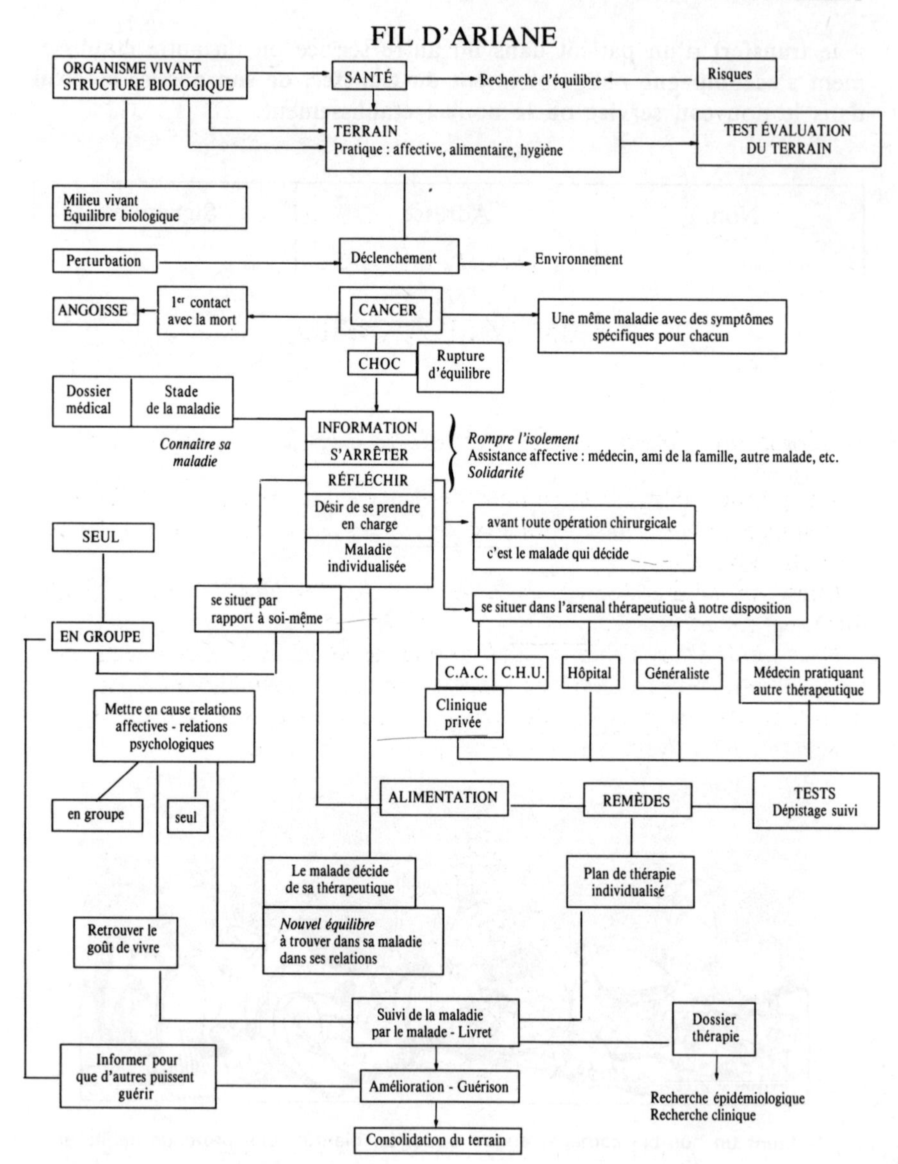

ORGANISME VIVANT
STRUCTURE BIOLOGIQUE
SANTÉ
Recherche d'équilibre
Risques
TERRAIN
Pratique : affective, alimentaire, hygiène
TEST ÉVALUATION
DU TERRAIN
Milieu vivant
Équilibre biologique
Perturbation
Déclenchement
Environnement
ANGOISSE
1er contact
avec la mort
CANCER
Une même maladie avec des symptômes
spécifiques pour chacun
CHOC
Rupture
d'équilibre
Dossier
médical
Stade
de la maladie
Connaître sa
maladie
INFORMATION
S'ARRÊTER
RÉFLÉCHIR
Désir de se prendre
en charge
Maladie
individualisée
Rompre l'isolement
Assistance affective : médecin, ami de la famille, autre malade, etc.
Solidarité
avant toute opération chirurgicale
c'est le malade qui décide
SEUL
se situer par
rapport à soi-même
se situer dans l'arsenal thérapeutique à notre disposition
EN GROUPE
C.A.C.
C.H.U.
Hôpital
Généraliste
Médecin pratiquant
autre thérapeutique
Clinique
privée
Mettre en cause relations
affectives - relations
psychologiques
en groupe
seul
ALIMENTATION
REMÈDES
TESTS
Dépistage suivi
Le malade décide
de sa thérapeutique
Nouvel équilibre
à trouver dans sa maladie
dans ses relations
Plan de thérapie
individualisé
Retrouver le
goût de vivre
Suivi de la maladie
par le malade - Livret
Dossier
thérapie
Informer pour
que d'autres puissent
guérir
Amélioration - Guérison
Recherche épidémiologique
Recherche clinique
Consolidation du terrain

CHAPITRE VI

Les thérapeutes

Je demandais la confiance, le respect, l'amour

« Il y a des jours où le courant de la vie nous échappe. Et pourquoi, et comment, c'est peut-être bien là la source de notre fleuve qui dérive, de notre abandon.

Mais qui m'abandonne, est-ce moi, est-ce les autres ? J'ai entendu dire que c'était la vie.

D'un seul coup, je me sentais exclue de la scène et devenue spectatrice de mon propre cadre de vie, des autres et de moi-même. Ainsi je ne m'appartenais plus, je n'occupais plus aucun espace, aucune durée. L'énergie, où la puiser ? Sûrement pas en moi-même.

Jusqu'à ce que soit formulée l'incantation magique :

Mon esprit, sur l'instant, ne l'évaluait même pas. Et cependant je me laissais vider, sans vie, sans demande. Pourtant l'aide m'aurait été précieuse... Sans la demander, comment en être satisfaite ?

Mais la confiance n'était pas à l'ordre du jour des deux côtés de la partie : le corps médical et moi-même. Moi-même et le corps médical. Bien dommage pour moi. Inertie et abattement ne m'étaient pas d'un grand secours pour me battre contre moi-même, contre la maladie.

Face au traitement proposé, j'en cherchais un qui ait valeur pour moi. En premier lieu, je demandais confiance, respect et amour.

L'entourage y a largement pourvu : j'étais toujours Marie-Christine, avec mes intérêts, mon présent et mon devenir.

J'ai donc puisé dans cet environnement bénéfique l'énergie pour faire face à la maladie et aux toutes premières réalités imposées par l'urgence des événements. Bien sûr, un diagnostic bousculait ma vie, brutalement, j'avais un besoin "brutal et urgent" d'explications, d'écoute et de compréhension de la part de soignants.

Ils auraient dû m'aider à comprendre la maladie, à la sortir de moi, à la démystifier. L'amour formidable reçu de mon entourage ne pouvait pas jouer ce rôle. Eux n'avaient pas une telle compétence.

J'ai vécu malgré mes amis des moments de solitude et de révolte contre certains procédés employés à mon égard.

Je vivais mal l'angoisse ; le médecin, lui, n'estimait pas nécessaire de me parler, m'informant juste des "formalités" à remplir.

Je lisais dans son regard une peur insondable de prendre contact avec moi, et puis pas le temps, sûrement pas l'envie, pas le minimum de contact humain, au cours de la consultation (près de huit personnes avec médecins et secrétaires...).

Que faire devant le pouvoir des mots, des théories scientifiques *incompréhensibles* ? Face à mes demandes, la réponse du cœur ne m'est jamais apparue. Et j'avais tant besoin d'être considérée comme un être de corps, de cœur et d'esprit. J'avais tant besoin que l'on m'explique toutes les données de mon cas et du traitement proposé.

Est-ce que la pitié est si thérapeutique ? Devant tant d'irrespect, comment puiser en moi-même ce qui me manquait ? »

Marie-Christine L., Enghiens-les-Bains.

La démission du généraliste

« Notre médecin de famille (depuis trente ans) ne m'a pas apporté d'autre aide que ces mots : "Tu aurais dû laisser ton père à l'hôpital, cela aurait été moins compliqué."

Or je pense que c'est justement dans des cas semblables que le rôle du médecin généraliste peut prendre toute sa signification et toute sa grandeur, servant de guide, d'accompagnateur et d'intermédiaire entre le patient et les spécialistes. Cela implique un degré d'ouverture, de compétence et un sens des responsabilités qu'il est finalement rare de trouver, mais c'est possible : nous avons eu la chance de trouver des médecins et infirmiers prêts à nous aider et à soigner mon père chez lui.

A mon avis, plus encore dans les cas de cancer que pour une autre maladie, dans la mesure où il reste encore d'énormes zones d'ignorance et d'incertitude, et que les thérapeutiques sont encore souvent aléatoires, il est important que le médecin soit suffisamment compétent et ouvert à plusieurs thérapies pour donner au malade le maximum d'outils. Qu'il en présente les avantages, les inconvénients, les risques, les chances de guérison, etc., avec le maximum d'honnêteté scientifique. Qu'il laisse le malade coopérer en participant au maximum au choix des traitements.

Cela implique que le médecin puisse consacrer plus de temps que de coutume à son malade, et soit disponible en cas d'urgence (problème du coût à la Sécurité sociale ?), que le médecin soit capable de faire face

L'idée se répandit alors, à la vitesse de l'éclair. C'était ce qu'il fallait faire...

lui-même à cette maladie et soit capable de dialoguer et d'expliquer simplement, de la façon la plus claire et la plus dédramatisante possible. Je me demande si cela ne tient pas à la formation que devraient recevoir les médecins à l'Université et à l'hôpital. Quel est le rôle du médecin ? Est-il le détenteur d'un savoir dont il doit garder le monopole s'il veut préserver son pouvoir, ou faut-il, au contraire, qu'il soit au service du malade ?

J'ai constaté que même les médecins pratiquant ce qu'on appelle des "médecines parallèles" ont des difficultés à traiter les cancers de la même manière qu'une autre maladie. On retrouve souvent le même non-dit que chez les autres médecins, la même impossibilité de laisser au malade les moyens de prendre en charge sa maladie et les décisions le concernant. »

Jacqueline C.

La confiance trahie

« J'avais mal à la base du cou lorsque je portais une cravate. Je consulte un chirurgien, le Pr. M. de l'hôpital civil de Strasbourg, qui demande une scintillographie thyroïdienne. Découverte d'un nodule froid, ne fixant pas l'iode, qu'il est préférable d'extraire. Je suis opéré au mois de février 84 apparemment normalement, tout se passe bien et je me rétablis sans problème. Au mois de juin, mon médecin généraliste demande, sans raison, une analyse sanguine (numération...). Résultat : un fort taux de cholestérol et de triglycérides. Un régime sévère, sans alcool et sans sucre m'est ordonné. Nouvelle prise de sang, les taux sont redevenus normaux, mais la suppression à vie de l'alcool et des sucres sur les conseils du généraliste, qui prescrit aussi des extraits thyroïdiens.

A partir de ce moment, août-septembre, je perds pratiquement un kilo par semaine, j'ai des bourdonnements d'oreilles, symptômes que je signale au médecin traitant, lequel considère l'amaigrissement comme normal, *"Ce sont les conséquences des extraits thyroïdiens, cela va se rétablir"* et qui m'envoie chez l'O.R.L. pour le bourdonnement d'oreille. Ce dernier m'envoie tout de suite à l'hôpital pour des examens complémentaires (à deux reprises) : examens classiques et scanner, qui ne révèlent rien. De guerre lasse, fatigue, perte de poids et dépression s'accentuant, je vais chez le Dr F. de Colmar, un homéopathe qui demande tout de suite mon dossier médical.

Le chirurgien téléphone à mon généraliste, qui me demande pourquoi un autre médecin veut le dossier. Je lui réponds que je suis ennuyé par les bourdonnements d'oreille. Le lendemain, il reprend contact avec moi pour nous faire part du désir du chirurgien d'avoir un entretien avec ma femme et moi (qu'il avait opérée un an auparavant d'une tumeur au sein). Lors de cet entretien, j'apprends avec stupéfaction que le nodule enlevé était cancéreux, et que d'ailleurs deux opérations successives avaient été pratiquées pendant mon anesthésie !

Le motif de ces silences et secrets partagés avec mon généraliste : *"C'était trop proche de l'opération de votre femme, et cela avait trop cafouillé pour elle."* Effectivement, ce chirurgien avait déjà fait une erreur de diagnostic pour ma femme...

Le chirurgien essaie lors de l'entretien de m'écarter du médecin de Colmar, en me conseillant d'aller chez un confrère hospitalier qui me reçevrait de suite, en dehors des horaires de consultations normales. J'ai accepté d'aller voir ce spécialiste dont les examens seront bien utiles au médecin homéopathe qui sera mon médecin traitant.

Je peux dire que la confiance que j'avais accordée jusqu'à présent tant au généraliste qu'aux spécialistes est totalement trahie et que plus

... et ce fut fait.

jamais, ma femme et moi-même, nous ne nous adresserons à cette médecine-là, surtout à ce type de médecins.

Nous sommes scandalisés de ce véritable complot qui visait à garder secret quelque chose qui concerne notre corps, notre santé et notre vie.

Honoré (Strasbourg).

Le technicien indispensable

« De toute façon, quelle que soit la méthode employée, un technicien de la santé est indispensable. C'est lui qui connaît les remèdes, il peut guider, conseiller. Mais il devrait être possible de collaborer avec lui, de ne pas subir sans rien savoir. Et quand la maladie arrive à son terme, n'est-ce pas ensemble qu'il faudrait décider si quelques semaines d'une mauvaise vie méritent un nouveau traitement éprouvant ? »

Mireille.

La peur des représailles

« Ma hantise, ma peur, c'est de proposer au docteur qui suit mon enfant à l'hôpital un traitement parallèle. Parfois les toubibs refusent de collaborer. Ils disent : si vous allez voir Untel, c'est pas la peine de revenir. J'ai peur que mon attitude se répercute sur le traitement de l'enfant... »

Bernard.

Un dialogue difficile

« Je supporte mal ce traitement. J'essaie d'en parler au radiologue qui diminue la dose. Je revois cela avec l'homéopathe. C'est vraiment à partir de ce moment-là que j'ai ressenti l'impossibilité de dialogue entre les médecines. Pour le radiologue, j'étais classée dans telle série, tel cas = tel traitement. Rien de semblable dans l'attitude de l'homéopathe. Des amis m'avaient passé un livre sur les médecines dites "parallèles", cela m'avait beaucoup intéressée et éclairée sur d'autres traitements, ainsi je comprends mieux l'action des sérocytols. L'homéopathe ne m'avait pas écrasée d'explications au départ. Je sentais qu'il me prenait en main, sans se croire plus malin que d'autres face à la maladie, mais qu'il pratiquait avec assurance sa thérapeutique. De plus, il est "vrai" dans le dialogue. Il me dit un jour : *"Si vous étiez de ma famille, voilà comment je procéderais."* Je ne peux que lui reprocher d'être trop pris, d'avoir un carnet de rendez-vous plus que chargé. Mais des hommes comme ceux-là, il en faudrait beaucoup ; seulement, la médecine classique forme des hommes tout autres, sûrs de leur savoir, enfermés dans leur rôle.

Le radiologue est quelqu'un de charmant, mais je ne lui fais pas confiance. Le traitement de Novaldex, il me l'a prescrit pour quelques mois, puis m'a dit *"un an"*, puis maintenant c'est *"2 ou 3 ans au moins"*. Cette manière de faire ne m'a pas rassurée. »

Parlez-moi de l'essentiel

« Avant la biothérapie gazeuse et le viscum album, j'étais tout le temps fatiguée et j'avais parfois des malaises. Depuis, je me lève sans problème et j'ai repris le travail. Et si je suis fatiguée le soir, je sais pourquoi. J'ai aussi balancé la réserve de Temesta dont on me bourrait depuis qu'à l'hôpital, les veilleuses de nuit, qui voulaient passer une bonne nuit, avaient pris l'habitude de m'en donner. Mais plus que les médicaments, le médecin homéopathe m'a beaucoup apporté sur le plan

Enfin !... On allait respirer, le vague à l'âme, certes,

personnel. Comme cette maladie est grave, on attend plus d'attentions encore de la part des médecins. Très rares sont ceux qui sont vraiment attentifs. Mon chirurgien était du nombre, il passait ainsi beaucoup de temps à expliquer le traitement.

Le Dr F. m'a appris que tout dépendait de moi, que j'étais mon premier médecin. Il m'a aussi provoqué un choc salutaire en me disant que l'ablation de mon sein n'aurait pas été nécessaire, et que je n'étais *"pas guérie pour autant"*. La première fois que je suis allée chez lui, il me donnait l'impression de ne pas m'écouter, de s'ennuyer. Il regardait par la fenêtre pendant que je m'évertuais à donner des détails sur mon traitement et l'origine supposée de mon cancer.

Jusque-là, je croyais que mon cancer du sein avait pour origine le traumatisme que j'avais subi avec mon fils, alors tout bébé, auquel je n'avais pas apporté un amour de mère.

"Arrêtez, pourquoi ne me parlez-vous pas de choses plus importantes, de l'essentiel ?" me dit-il soudain. Déconcertée, je m'arrête : "Je croyais que ces détails, c'était mon cancer !" "Vous êtes Pied noir me dites-vous, et vous n'avez pas d'accent, pourquoi ?" me demande-t-il. Et je me rends compte que je suis le seul membre de ma famille à ne pas avoir cet accent : "Et vous n'avez jamais eu de problème avec vos parents, au moment où on apprend à parler ?" Et brutalement, toute mon enfance malheureuse revient à la surface.

Et je me rends aussi compte que chaque fois que tout allait bien dans ma vie, je me disais intérieurement : "Attention, il y a une tuile qui va me tomber dessus." Cela ne manquait pas d'arriver, car je la provoquais. Le médecin m'a dit : "Si vous êtes capable de faire votre malheur, vous êtes aussi capable de faire le contraire. Il suffit de le vouloir très fort et de se reprendre en main." Et il m'a conseillé un certain nombre de livres à lire. Depuis, je me sens responsable de moi-même. »

Claudine S., Strasbourg.

Où puiser la confiance

« J'étais prête à me soigner, mais toujours en quête de contact. Cette fois-ci, je savais ce que je ne désirais plus vivre. "Malheureusement" pour moi, j'avais élaboré dans ma tête le jugement suivant : "Les médecines parallèles sont des médecines pour le corps *et* l'esprit, pratiquées *par conséquent* par des êtres honnêtes avec eux-mêmes et avec le malade. »

Je me suis donc inscrite à un groupe de santé que je connaissais. Je fus aidée par la méthode "Simonton" de relaxation et j'ai pris contact avec d'anciens malades. J'avais trouvé mon premier pilier réel : il correspondait à ma sensibilité du *moment*.

Mon esprit s'apaisait un peu, soutenu par ce travail construit et rigoureux. *A force* de travail et de lectures, je récupérais un peu cette disponibilité et cette assurance auxquelles je faisais appel auparavant... Je retrouvais de l'énergie... Puis... je sentis le besoin de me lier à un médecin. De discussions en discussions, j'entre en contact avec un médecin qui pratique la méthode Solomidès. Mais aucun contact ; ni chaleur, ni antipathie. Pendant quatre mois, je suis informée par téléphone des résultats des frottis. Je ne le vois jamais. Je n'éprouvais pas d'insatisfaction nette. Je n'étais pas disponible pour faire miennes les données d'un traitement. C'était l'époque de mes voyages.

Devenant de plus en plus lucide et exigeante, au fur et à mesure que je réalisais ce qu'est la vie et la mort, je commençais à discuter avec mon homéopathe, lequel trouvait inefficace cette carte d'interrogation "scandaleuse".

Je me révoltais contre ce médecin qui avait bel et bien décidé de me

mais la vie reprenait son cours, c'était bel et bien fini.

dire n'importe quoi sur un soi-disant traitement. Et puis, mes moyens ne me permettaient pas de financer les différentes consultations. Ce fut l'époque où je récidivai de nouveau...

Malheureusement, ce conflit ne me permettait pas d'être lucide et objective. Ma souffrance se transformait en révolte. Me voir valoir moins qu'une quelconque somme d'argent !

Que penser ? Où puiser cette confiance, ce contact que je cherchais depuis six mois ? Je ne demandais pas au médecin traitant de me prendre en charge moi et ma maladie, j'espérais seulement recevoir de l'aide afin de trouver l'énergie pour remonter la pente.

Un autre médecin me redonna confiance, et j'eus enfin l'occasion d'être active, responsable... Simplement, parce qu'on m'avait fait comprendre ce qu'était une hystérectomie (et ses conséquences), je maîtrisais mieux la situation.

Je me sentais une personne à part entière. Un médecin me faisait confiance dans mes *possibilités propres, intimes*. A moi de guérir. Il acceptait de prendre des risques, celui de me laisser choisir entre mes désirs de vie et de mort. Pendant un an, j'ai suivi un traitement homéopathique et un régime d'immunostimulant. Je sortais de la détresse, j'avais confiance en moi, j'étais respectée et aimée.

(...) En ce qui me concerne, j'aime que le médecin s'efforce de connaître le malade, d'être à l'écoute de sa demande... J'aimerais qu'il lui permette d'être adulte en lui donnant la possibilité de faire des choix (à la mesure de ses possibilités du moment), basés sur des explications claires de son cas. Tout ceci sans jugement de valeur.

Il faut que le malade puisse faire son choix, c'est le premier concerné de l'affaire. C'est lui qui sent ce qu'il peut vivre. L'intelligence du corps du malade a son mot à dire. »

Les groupes d'usagers, les groupes cancer peuvent en témoigner : la recherche d'un médecin, d'un thérapeute, est la préoccupation essentielle de toutes les personnes, malades ou proches, qui s'adressent à eux. Que le corps médical se rassure, le médecin en tant que tel est loin d'être contesté par les malades. Qu'est-ce qui fait problème ? Pourquoi certains cancéreux s'éloignent-ils du système médical hospitalier ?

Peut-on expliquer cette attitude critique par l'inefficacité de la médecine dans le traitement du cancer ?

Pour un certain nombre de malades — au dernier stade de la maladie — et qui sentent obscurément que le médecin les a « condamnés », l'ultime espoir réside en effet dans la médecine « parallèle », dans le guérisseur, le sorcier, voire la Vierge de Lourdes ou la Marme Rosa italienne. Les médecins homéopathes se plaignent de recueillir ces malades aux toutes dernières extrémités, ces malades qui attendent d'eux un miracle, alors que leur système immunitaire est au plus bas... D'un autre côté, de nombreux malades, même au seuil de la mort, continuent cependant de faire confiance à leur spécialiste, ils ont déjà accepté un traitement souvent traumatisant et mutilant. Jusqu'au bout, ils subissent, espèrent et croient dans le savoir et le pouvoir de leur thérapeute.

Nous écarterons donc de notre analyse cette attitude, irrationnelle dans les deux cas, pour nous en tenir aux raisons positives qui guident les patients dans leur recherche.

Le thérapeute : un technicien

La conception mécaniste de la maladie, dominante dans notre société, s'en tient à une explication purement matérielle du cancer : celui-ci est cet amas de cellules mutantes qui colonisent tout l'organisme et le tue.

Pas tout à fait, cependant. D'abord, tous les réfractaires n'étaient pas partis.

Il faut donc vaincre ces cellules ennemies en utilisant tous les moyens destructifs scientifiques et techniques modernes. Le thérapeute du cancer est ainsi un technicien qui maîtrise l'une ou l'autre technique agressive, ces techniques de plus en plus sophistiquées. Caricaturalement, on peut affirmer que pour le spécialiste, la personne n'existe pas.

Celui-ci a affaire à un « Hodgkin stade 3 », à un « cancer du sein droit », à un « cancer de la prostate » (si ce ne sont des mots plus compliqués) et le porteur des tumeurs idéales est celui qui se montre le plus coopératif possible, le plus sage et le plus compréhensif, bref celui qui sait se faire oublier...

Bien sûr, il se trouve parmi tous ces forts en maths, ces mémoires ambulantes, ou techniciens brillants, d'authentiques médecins qui ont une relation personnelle d'ordre thérapeutique avec le malade, consciemment ou inconsciemment.

Mais ces relations sont limitées par la spécialisation même du thérapeute enfermé de par sa formation dans sa spécialité, et ainsi limité dans sa vision de la maladie et dans ses moyens d'intervention.

Le cancérologue n'existe pas

De fait, ce n'est pas la spécialisation des thérapeutes-techniciens qu'il faut remettre en cause, car celle-ci est nécessaire et rendue obligatoire par l'évolution des techniques. Ce que l'on peut déplorer, c'est l'absence du *cancérologue.* Il peut sembler paradoxal, voire scandaleux, qu'une maladie grave comme le cancer n'ait pas suscité la création d'une formation spéciale. Le cancérologue n'existe pas, pas plus que la cancérologie n'est enseignée à l'Université. *Ce cancérologue pourrait et devrait être le chef d'orchestre d'une démarche véritablement pluridisciplinaire, car il est partie prenante dans l'établissement de tel ou tel protocole.*

En collaboration avec le généraliste, dont le rôle devrait aussi être réévalué, le cancérologue, libéré de la mise en œuvre de tâches purement techniques, serait un interlocuteur privilégié du malade, à condition que ce dernier puisse le choisir librement.

Coordinateur, il éviterait ainsi deux écueils au cancéreux :

— être mis, sans l'avoir voulu, au service d'une technique, d'une expérimentation,
— tomber sous la coupe d'un technicien qui se découvre « homme de pouvoir » lorsque « son » patient prend l'initiative de changer de thérapie ou plus encore de s'adresser à un médecin « *charlatan* », homéopathe ou autre biothérapeute. (Des chantages du type « *c'est moi ou alors...* », sont plus fréquents qu'on ne le croit.)

La non-reconnaissance de certains thérapeutes

Rien de plus incompréhensible, pour un nombre croissant de malades, que la non-reconnaissance d'un certain nombre de thérapeutes. Aux stress de la maladie s'ajoute celui de s'adresser au pratiquant de la médecine de terrain, souvent contre la volonté du spécialiste habituel. Sans aller jusque-là, comment comprendre l'exclusion de fait des psychothérapeutes du centre anticancéreux ou de l'hôpital, près d'un siècle après Freud ?

Si les spécialistes « psy », psychologues, psychanalystes, psychosomaticiens, sont écartés de la thérapie « sérieuse », comme le sont les homéopathes, naturopathes, phytothérapeutes et biothérapeutes divers, c'est que ces médecins tiennent compte du « terrain » de la personne, d'une façon ou d'une autre. Et ce que le patient apprécie chez eux,

Et puis, les détritus jonchaient toujours, les roupillieux n'en finissaient pas d'insomnier, la gabegie d'endémiquer...

c'est cette reconnaissance de sa personne entière, que la médecine hospitalière, nous l'avons vu, néglige au profit de la seule maladie. Les médecins marginalisés, qui pratiquent une médecine globale (holistique), remplacent de fait le généraliste d'autrefois, le médecin de famille dont il n'existe plus que la caricature (un prescripteur de produits chimiques n'a plus le temps de s'intéresser à la personne). A l'écoute du malade, ils sont plus à même de jouer ce rôle de catalyseur des forces psychiques et physiques de la personne qui est elle-même, en définitive, son premier médecin.

VOICI SCHÉMATIQUEMENT LES STRUCTURES DE SOINS A NOTRE DISPOSITION

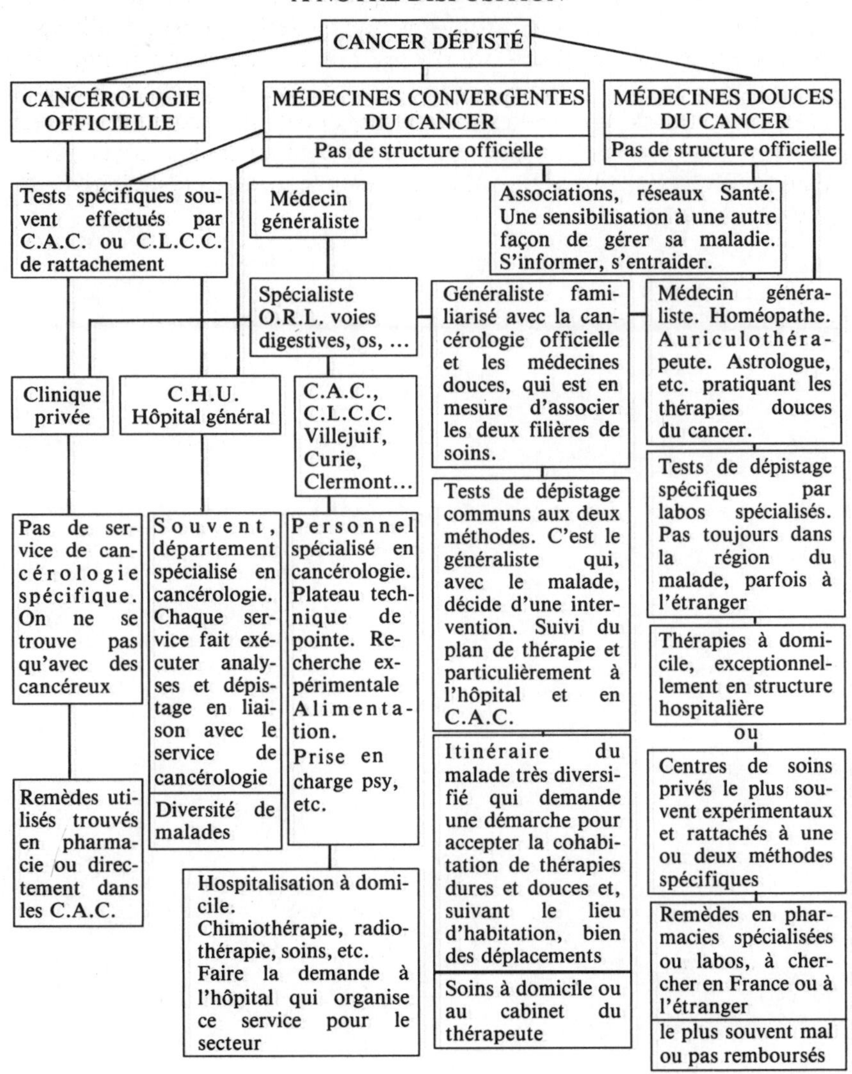
CANCER DÉPISTÉ
CANCÉROLOGIE OFFICIELLE
MÉDECINES CONVERGENTES DU CANCER
Pas de structure officielle
MÉDECINES DOUCES DU CANCER
Pas de structure officielle
Tests spécifiques souvent effectués par C.A.C. ou C.L.C.C. de rattachement
Médecin généraliste
Associations, réseaux Santé. Une sensibilisation à une autre façon de gérer sa maladie. S'informer, s'entraider.
Spécialiste O.R.L. voies digestives, os, ...
Généraliste familiarisé avec la cancérologie officielle et les médecines douces, qui est en mesure d'associer les deux filières de soins.
Médecin généraliste. Homéopathe. Auriculothérapeute. Astrologue, etc. pratiquant les thérapies douces du cancer.
Clinique privée
C.H.U. Hôpital général
C.A.C., C.L.C.C. Villejuif, Curie, Clermont...
Tests de dépistage communs aux deux méthodes. C'est le généraliste qui, avec le malade, décide d'une intervention. Suivi du plan de thérapie et particulièrement à l'hôpital et en C.A.C.
Tests de dépistage spécifiques par labos spécialisés. Pas toujours dans la région du malade, parfois à l'étranger
Pas de service de cancérologie spécifique. On ne se trouve pas qu'avec des cancéreux
Souvent, département spécialisé en cancérologie. Chaque service fait exécuter analyses et dépistage en liaison avec le service de cancérologie
Personnel spécialisé en cancérologie. Plateau technique de pointe. Recherche expérimentale Alimentation. Prise en charge psy, etc.
Thérapies à domicile, exceptionnellement en structure hospitalière
ou
Itinéraire du malade très diversifié qui demande une démarche pour accepter la cohabitation de thérapies dures et douces et, suivant le lieu d'habitation, bien des déplacements
Centres de soins privés le plus souvent expérimentaux et rattachés à une ou deux méthodes spécifiques
Diversité de malades
Remèdes utilisés trouvés en pharmacie ou directement dans les C.A.C.
Hospitalisation à domicile. Chimiothérapie, radiothérapie, soins, etc. Faire la demande à l'hôpital qui organise ce service pour le secteur
Soins à domicile ou au cabinet du thérapeute
Remèdes en pharmacies spécialisées ou labos, à chercher en France ou à l'étranger
le plus souvent mal ou pas remboursés

CHAPITRE VII

La volonté de guérir ou vivre pour vivre

Je suis acteur, pas seulement témoin

« Je ne vais pas m'attarder sur les aspects physiques de ma maladie : un sein en moins, une vertèbre tassée, les hanches fragilisées. Cela fait six ans que je lutte, avec des hauts et des bas, des périodes de rémission, d'autres de crise. Avec toujours au cœur l'espoir et la volonté de guérir. Je ne peux donc pas dire que je suis guérie (c'est peut-être de la superstition), je préfère parler de rémission. Il m'est arrivé de me dire que j'aurai des métastases toute la vie et qu'après tout, cela ne m'empêchait pas de vivre normalement. Mais c'est un piège : cela démobilise complètement. Et quand on veut guérir, il faut mettre tous les atouts de son côté.

... et surtout, le remords avait fait son apparition. L'infamie pesait sur toutes les têtes, comme en témoignent ces voix qui, de toutes parts s'élevèrent, et qui se voulaient, toutes, celles de la sagesse.

Car des atouts, il y en a. Et ce que je retiens de ces six dernières années, c'est la somme d'informations, de remises en question, de découvertes sur tous les plans, qui a complètement transformé ma vie et ma vision du monde. J'ai d'abord découvert que je pouvais exister autrement que comme femme de mon mari et mère de mes enfants : on est venu me voir après mon opération, on s'est occupé de moi. C'était la première fois que cela m'arrivait. Bien sûr, c'était un peu parce que j'étais dans une situation "intéressante", mais cela m'a aidée à prendre conscience de moi et à m'affirmer.

Par ailleurs, l'importance des choses les unes par rapport aux autres, a beaucoup changé : les petits soucis quotidiens ont perdu beaucoup de relief par rapport aux relations, à la communication, à l'amitié. Toutes les choses matérielles auxquelles j'étais attachée, je m'en suis détachée. Ça devient tout à fait secondaire.

L'essentiel : bien vivre avec ce qu'on a. Je cherche un mieux, pas plus. Je vis le moment présent, des moments très riches, intenses, au jour le jour. Je combats pour vivre normalement.

J'étais croyante parce qu'on m'avait appris à l'être. C'était un acquis, ça faisait partie de l'éducation. J'ai commencé à relire la Bible de façon personnelle (pas au premier degré). Les mots ont pour moi une autre signification.

Je ne suis plus seulement témoin, je me suis engagée, je suis acteur. Avant, je demandais les choses. Grâce au cancer, je suis apaisée. Je ne demande plus, je préfère apporter, partager. Chaque matin, je remercie d'être là, de pouvoir faire le travail, de pouvoir entendre les oiseaux parce que je suis disponible pour les écouter.

Le cancer a beaucoup changé ma vie. Quand je revois cette période, je revois surtout le positif. La maladie est presque oubliée. La seule chose, c'est que je dois m'imposer d'aller dans un hôpital, même de rendre visite à une amie. Mais je porte volontiers secours aux autres personnes.

L'association Santé-Cancer a été importante, grâce à l'amitié. C'est un noyau, on est ensemble, on s'aide mutuellement. Je me soigne, sans penser à une issue difficile. Je vis avec. »

Je devenais aigrie

« Je passerai sur les détails de ma vie très perturbée sur tous les plans... beaucoup de douleurs, de souffrances, d'épreuves, aussi bien morales que physiques (...). Tout ceci a fait que — bien qu'étant de caractère très gai, très optimiste — j'en suis arrivée à changer... je devenais aigrie, je ressassais des pensées négatives, je parlais volontiers de mes "malheurs" — sans me rendre compte, alors, combien je devais "raser" les gens qui m'écoutaient d'une oreille plus ou moins attentive. Tout ceci a duré des mois, des années.

Dans mon foyer, ça n'allait plus du tout ; j'étais de plus en plus malheureuse ; jusqu'au jour où je me suis dit : "Ou tu acceptes la situation et tu restes (mais à la condition de faire un effort pour changer tout ce qui ne va pas en toi) ou si tu ne *peux* accepter, et si c'est au-dessus de tes forces, alors tu t'en vas. Mais tu ne peux continuer ainsi à te morfondre, à ressasser tes regrets de ce qui aurait pu être... Il faut accepter les épreuves et, surtout, essayer d'avoir du "tonus".

J'ai eu de la chance, alors, d'approcher le bouddhisme, qui m'a fait comprendre beaucoup de choses, et la source de nos "misères", causes de nos "attachements"... J'ai aussi découvert la méditation, le recueil-

On décomposa de l'intelligible, on réforma de l'incohérent, on milita dans du prosélytisme, on supplia du spécialiste, on harangua du xénophobe, on tritura du contre et de la certitude, on invoqua de l'athéisme que l'on mixa, sans vergogne, à de l'œcuménique.

lement, la relaxation... et mes lectures aidant, j'ai changé effectivement, et en mieux, ma vie s'est peu à peu transformée, mes rapports avec les autres sont devenus meilleurs, plus chaleureux, tout le monde y a gagné (y compris moi).

Mais toutes ces épreuves, subies depuis 40 ans au moins, avaient très fortement perturbé ma santé pourtant excellente au départ. »

En décembre 79, Raymonde passe les tests de Vincent puis de Vernes : terrain pré-cancéreux qu'elle soigne par viscumthérapie, homéopathie, vitamines, oligo-éléments et phytothérapie. Le terrain n'est pas encore normal, il se stabilise, semble-t-il, il faut donc rester vigilante, mais sans être obnubilée par cela...

« Les défenses immunitaires sont toujours très "basses". Je fais en sorte de voir plutôt tout ce qui est POSITIF, essayant de chasser ce qui est négatif (en actes et en paroles, si ce n'est en pensées, ce qui est plus difficile). Je pratique souvent la méthode Coué, le soir avant de m'endormir et au réveil.

Je vais de plus en plus vers les autres, car, croyez-moi : "L'on donne et l'on reçoit, l'on reçoit et l'on donne", car vous recevez toujours lorsque vous donnez (ne serait-ce qu'un regard, un sourire, qui vous fait chaud au cœur), même si vous ne donnez pas dans l'intention de recevoir.

J'aide ainsi une association et, de ce fait, je suis en contact (par lettre ou par téléphone) avec de nombreux malades, souvent des cancéreux, et cela m'a amenée à la conviction que le moral, le psychisme surtout, est une des causes (sinon la cause) du cancer. Certes, l'alimentation, les soins, les traitements... tout cela est important, mais, en premier — à mon humble avis — c'est le psychisme, la volonté de guérir qui arrive en tête.

Quand je reçois une lettre désespérée et que je constate que la personne n'a plus de ressort, plus de volonté de vivre, "à quoi bon lutter", "je veux en finir", "je ne demande qu'à mourir"... ce sont des phrases que je n'aime pas lire, car je sens alors mon impuissance à leur venir en aide — contre leur volonté, en quelque sorte.

Souvent, ces femmes qui en sont arrivées là ont subi des épreuves pénibles : le mari (ou compagnon) est mort, ou bien elles ont été abandonnées, ou encore elles ont une vie conjugale très perturbée. Souvent il n'y a plus d'amour dans leur vie, et l'amour est un pilier qui permet souvent de supporter l'adversaire. S'il n'y a plus d'amour, plus rien à quoi se raccrocher, alors "à quoi bon vivre" ! Si je leur conseille la "méthode Simonton" (basée surtout sur la visualisation, le désir de s'en sortir), cela ne « marchera » pas avec elles, puisqu'elles ne veulent plus lutter consciemment... »

Raymonde S, Juvisy

Notre intuition est notre guide principal

« La recherche de la guérison du cancer, c'est une lutte continuelle avec soi-même d'abord, pour essayer de retrouver ce qu'il y a en nous de possibilités, notre intuition qui sait nous guider. Parfois cette voix a été étouffée pour un tas de raisons que nous connaissons bien : éducation, milieu ambiant, etc.

Soyons à l'école de notre corps. Au moindre signal essayons de comprendre pourquoi une douleur surgit à tel ou tel endroit. Est-ce mon alimentation, ma fatigue, mon agressivité, mon manque de confiance en moi ? Ai-je un but, une motivation pour guérir ? En quoi je crois vraiment ? Est-ce que je m'aime ? Il s'agit de sortir par tous les moyens de

Activité intense, bien que sans objet puisque tous parlaient et personne n'écoutait...
Jusqu'à ce qu'on se rende à l'évidence :
ON VOULAIT VIVRE, TOUS !

son isolement. Pour moi le cancer, c'est le S.O.S. de mon être profond : tu oublies l'essentiel, tu gaspilles ton temps, tu cours sans cesse, tu t'essouffles, tu te suicides à petit feu, tu refuses, tu fuis...

Qu'as-tu fais du capital que tu as en toi (car tout est en toi) ?

MA VIE AVANT	*MA VIE APRÈS*
* Dès le plus petit symptôme, je me précipitais chez le médecin qui me donnait des médicaments. Cela me tranquillisait.	* Je prends mon temps, si j'ai la fièvre, je me couche, me mets à la diète. Si c'est plus grave, je me soigne par homéopathie, acupuncture, phytothérapie, ostéopathie.
* Mon alimentation avait pour base principale : les graisses animales, le sucre sous toutes ses formes.	* J'ai pris conscience de l'importance de la qualité de la nourriture qui alimente toutes mes cellules. D'où le choix d'aliments biologiques, sains.
* Je mangeais très vite, souvent en gesticulant, en m'énervant.	* J'ai appris à mastiquer, à manger relax, préférant manger seule plutôt que dans le bruit. J'ai découvert la meilleure façon de me nourrir après bien des tâtonnements et je tiens compte des besoins du corps.
* Je fumais beaucoup.	* J'ai arrêté de fumer car le tabac fait partie de la pollution à plus grande échelle (asphyxie des cellules).
* Je sortais énormément, avais de multiples occupations à l'extérieur pour m'occuper des autres. Ne prenais pas le temps de me détendre, fonçais partout.	*Je veux savoir, comprendre, j'ai lu beaucoup, me suis informée par tous les moyens et j'ai découvert une autre façon de vivre.

* J'avais très peu d'activités physiques (hernie discale après accouchement).

* J'ai repris de l'activité physique : natation, marche, ski, yoga, méditation. Je prends le temps d'aller m'oxygéner dans la nature.

J'ai travaillé à voir le côté positif de l'existence. La visualisation m'a beaucoup aidée à modifier ma façon de penser, ma façon d'être avec les autres, à répondre à la question : comment était-ce avant, maintenant ? A chercher, trouver le but qui nous motivera pour croire à la guérison. »

Claude B., Paris 19e.

Comme un automate

Avant, je vivais un peu comme un automate : travail, enfants, maison, loisirs. Tout était programmé et, bon an mal an, ça marchait bien. Mon cancer a fait basculer ce bel édifice. Je me sens aujourd'hui comme un nomade avec un baluchon sur l'épaule comme seul bagage, découvrant sans cesse de nouveaux paysages. Oserais-je vous dire que je vis mieux ?

Marie-Paule.

Les oreilles s'ouvrirent alors, et, de proche en proche, on entreprit de se parler, de s'entendre. Avec tendresse ou répulsion, ou encore avec colère, on dut bien accepter ces réfractaires dont on comprit peu à peu que, plus sensibles, ils avaient morflé les premiers, mais qu'on était tous menacés.

Nous vivons une éclaircie brouillée
Nous nous réveillerons à la frontière banale
Du bonheur
Nous avons tant souffert
Que le banal sera notre imprévu

Jean-Pierre Gillot
Trois poèmes pour ne plus désespérer

Mourir
mais dans l'espoir
pas comme on finit sa vie
le cœur plein de choses à faire
et de gens à aimer.
Des projets plein la tête
Mourir
mais en aimant la vie
la mort en pleine lumière
interroge les vivants.

Claude Bertrand

Avant. Après. Il y a chez les cancéreux, même chez ceux qui sont en rémission — on ne parle pas de guérison dans cette maladie — une frontière entre leur vie antérieure et d'avant la maladie, et la vie qu'ils mènent depuis le choc et le début des traitements. Leur vie a changé et si tous ne réagissent pas de la même manière, on remarque néanmoins certaines constantes, qui s'affirment au fur et à mesure qu'ils peuvent vivre ce changement. Pour un certain nombre d'entre eux, ce changement est une véritable rupture avec le modèle de vie dominant.

* *Un changement de cadre :* Le cancer — la proximité de la mort ? — provoque un détachement des objets et des choses. Celui-ci peut être radical. Ainsi Claudine (42 ans, mariée, une fillette de 10 ans) habitait avant sa maladie à la campagne, dans une superbe villa avec tout le confort moderne, elle avait une garde-robe conséquente et tenait à la propreté de son intérieur. Elle a déménagé avec mari et enfant en pleine ville, dans un quatre pièces, après avoir vendu ou distribué mobilier et habits.

Vivre mieux appelle aussi une rupture avec le train-train quotidien : « Cette érosion du temps, j'ai voulu la transcender en brisant net et en larguant les amarres. J'ai tout arrêté. J'ai tout quitté, parce que j'avais besoin de liberté, de solitude. J'ai pris un bateau, accompagné de la personne aimée et enfin j'ai vécu ce que j'avais rêvé depuis des années. Et comment vit-on mieux, comment se prouve-t-on que l'on vit sinon en changeant de vêtements, de bagages... Comment vit-on, sinon en étant d'accord avec soi-même. »

Rappelons-nous Jacques Brel, qui a tout quitté pour aller vivre ses dernières années sur une île du Pacifique...

Cette rupture avec la société de consommation et de l'individualisme égoïste, les jeunes de 68, les gauchistes et écologistes des années 70 l'appelaient de leur vœu. Il est amer de se voir suivi uniquement par des personnes qui côtoient la mort de près...

* *Changer les relations avec les autres :* Ce changement se fait à tous les niveaux : famille, amitiés, travail. Il commence chez soi, dans le couple où la femme affirme soudain une personnalité brimée. Le changement marque aussi les rapports d'amitié, tel ami(e) fait défaut, telle relation devient amie.

On affirme très fort un besoin d'amour et de solitude, besoins opposés en apparence. De fait, il s'agit de plans différents avec d'une part une affectivité qui ose s'affirmer, d'autre part une personnalité (et une

Cela prit du temps, mais lorsqu'on se mit à l'ouvrage, on savait bien pourquoi.

lutte à mener), qui, elle, a besoin, pour se développer, d'un repliement sur soi.

Par affectivité, il ne faut pas comprendre seulement un besoin qui va dans un seul sens. Donner devient même plus fort que recevoir chez un certain nombre de personnes, malades ou proches, chez lesquelles se mettre au service des autres devient même un véritable apostolat aux accents christiques. Celles-ci trouvent dans les groupes cancer ou les associations d'usagers l'instrument pour entrer en contact avec les autres malades. Elles en forment souvent l'ossature. Mais le groupe n'est pas toujours nécessaire. Au hasard des connaissances, on est là lorsqu'une autre personne est atteinte du même mal que soi, une espèce de solidarité de clan.

* *Changement dans la qualité de la vie :* Sur le plan du travail aussi, le changement est de mise. On est d'abord écarté du monde du travail par la maladie. Mais dès que les forces reviennent, on veut ressortir du ghetto, s'intégrer au travail et avoir son indépendance financière (les traitements parallèles ne sont pas remboursés...). En ces temps de crise, l'écart de la vie sociale constitue un traumatisme pour le cancéreux chômeur. L'administration, qui pendant longtemps ne voulait pas reprendre les anciens cancéreux, fait des efforts d'intégration par l'intermédiaire des emplois réservés (par concours). Mais Pierre P. (Strasbourg) attend toujours la place que devait lui donner un concours réussi, malgré une lettre du ministre de la Santé... Ce jeune de 24 ans est conscient que la situation actuelle du marché de l'emploi est difficile pour tous les jeunes. Mais se morfondre dans une pièce sans confort, sans lumière, n'est pas spécialement une condition idéale pour avoir ce bon moral tellement nécessaire à la lutte.

Le poste à mi-temps qu'il convoite est également pour lui le seul poste qu'il pourrait tenir, car son état de santé lui interdit de travailler normalement. Il travaille ainsi actuellement dans une association de consommateurs, bénévolement. Cet exemple démontre ainsi ce besoin d'intégration, de création. Également le désir d'un rapport différent avec le travail vu sous l'angle de l'épanouissement de la personne plus que sous celui des revenus. La qualité de vie prime.

Elle s'impose également dans la nourriture : on cherche la qualité (alimentation « biologique », produits de qualité), plutôt que la quantité. On veut manger tranquillement, on fuit le bruit, l'énervement. Rupture avec la vie agitée des temps modernes... Redécouverte de la nature qui apporte cette qualité de vie, avec son cadre, la nature, et ses rythmes lents, propices à l'approfondissement des relations humaines.

Bref, il ne faut pas s'étonner si certains cancéreux parlent du cancer comme de la *« chance de leur vie »*. Aussi paradoxal que cela puisse être, ils ont trouvé un bénéfice à avoir cette maladie. Celle-ci a été l'alerte, chaude, qui a mobilisé toutes les forces, toute la volonté de vivre, qui a fait découvrir la vie. Le cancéreux est à cet égard un initié qui est allé jusqu'aux lisières fluctuantes de la mort. En donnant ainsi un sens à la vie, il peut apporter aux bien-portants un message de vie qui oblige à redéfinir toutes les certitudes, à redéfinir les notions de santé et de maladie.

Le portrait esquissé ici d'un cancéreux en lutte ou « guéri », assumant et vivant facilement une rupture sur tous les plans de la vie, est évidemment un portrait idéal. Rien n'a été dit de la lutte impitoyable qui se poursuit entre la pulsion de vie et la pulsion de mort et des contradictions, parfois insurmontables, vécues par certains. Chaque personne a sa propre histoire, qui est parfois la pire des prisons.

Il faut se méfier à cet égard des erreurs d'appréciation : ainsi, un excès d'activité est-il un signe de vitalité, ou au contraire un refus

Alors, prenant bien soin de ne négliger ni les idées, ni les personnes, on entreprit de remonter le courant.

inconscient d'affronter certains problèmes ? Ces mensonges que l'on se fait à soi-même peuvent être déjoués grâce aux thérapies (visualisation, psychothérapies diverses). On ne peut pas faire l'impasse sur le psychisme, la volonté de guérir, à elle seule, ne suffit pas. La personne entière doit participer à la guérison.

CHAPITRE VIII

Les terrains du cancer

On creuse sa tombe avec ses dents

« Je porte actuellement une plus grande attention à la nourriture. J'essaie une alimentation plus végétale qu'animale. J'ai supprimé tout ce qui est sucre. Il est cependant difficile de changer notre mode d'alimentation. Les pays industrialisés sont empoisonnés par la chimie mal employée. »

« Pourquoi les hépatiques, les diabétiques ont-ils une nourriture spécifique pendant leur hospitalisation et non pas les cancéreux ? Quand on sait que les graisses sont nocives, surtout les graisses animales, et que le sucre abaisse le taux des défenses immunitaires ! »

Je l'avais programmé il y a vingt ans

« Je l'avais programmé, mon cancer. Ma mère l'ayant eu, j'en aurai un aussi. J'avais alors 17 ans, 20 ans plus tard il apparaissait.

Les signes avant-coureurs : le choc (rechute) du cancer de ma mère, situation familiale perturbée, grosse fatigue, j'étais sans énergie, complètement vidée, angoissée au maximum, tantôt euphorique, parfois dépressive : sommeil perturbé ; passivité, je restais prostrée, sans réaction, très souvent ; je fuyais ces états en sortant beaucoup ; je fumais énormément ; j'étais mal dans ma peau, épousais trop souvent ce que les autres pensaient de moi et annihilais ma propre personnalité. »

Détecter non pas le cancer mais son profil

« Je pense que c'est dans le profil psychologique que se trouve le problème du cancer. C'est peut-être en détectant non pas le cancer, mais le profil du cancéreux, que l'on pourra un jour le soigner.

En 1980, j'ai perdu ma femme, décédée d'un cancer.

Je ne peux et ne veux pas accepter cette fatalité, cette "prédestination", cette impuissance devant laquelle nous nous trouvons face à cette maladie. Cette impuissance devant laquelle je me suis trouvé et contre laquelle j'ai essayé de me battre pendant 5 mois.

Depuis j'essaye d'étudier la maladie, je lis des livres, des journaux traitant de ce sujet. Je discute avec des gens, des médecins, des psychologues. Je veux comprendre. J'ai décidé de mettre mon énergie au service de ce fléau. (Depuis, l'auteur de ces lignes est un animateur d'un groupe-cancer.)

Le cancer, une chimère ? Une « idée fausse » ? Tout a commencé au début de l'année 1980. Nous avons fêté le Nouvel An en famille. Nous étions tous joyeux et en bonne santé, et nous avions trinqué à cette bonne année. L'année où Josette, ma femme, allait avoir 54 ans !

Il y a vingt ans environ, un jour, Josette me dit avoir rêvé qu'elle allait mourir à 54 ans. Depuis ce jour, ces 54 ans sont revenus à maintes reprises dans la conversation. Nous en avons blagué, mais elle, elle le prenait au sérieux. Donc ce jour, nous en avons encore une fois ri : "Il faudra te dépêcher d'attraper une maladie si tu veux mourir à 54 ans, c'est pour bientôt !"

Elle est morte six semaines avant son 54e anniversaire.

En février, Josette fait faire un curetage qui était programmé depuis quelques mois. En effet, depuis sept ans elle va voir régulièrement son gynécologue, qui lui fait un curetage ou un frottis tous les ans. Après ce curetage, elle va chez sa sœur à Lausanne pour l'aider à se remonter le moral après son opération (un cancer du sein). Elle est en bonne santé, mais a un peu mal au ventre. On pense que ce sont les suites du curetage.

Trois jours plus tard, le 20 février, je suis obligé d'aller la chercher en catastrophe à Lausanne. Elle a des douleurs terribles et son ventre a grossi démesurément.

Hospitalisation immédiate. Son médecin ne comprend pas.

Le curetage a bien indiqué de très légères traces cancéreuses, mais sans danger immédiat. Il allait préconiser un traitement par rayons dans les prochains temps. On l'opère le lendemain. Le verdict tombe comme un couperet : "Cancer de l'ovaire" (...) Elle a vécu encore 5 mois.

Cinq mois pendant lesquels j'ai essayé de lutter contre la fatalité. J'ai, petit à petit, appris des choses qu'il y a à côté de la médecine. Josette se fait soigner par chimiothérapie au centre Paul-Strauss à Strasbourg — une autre médecine, parallèle, mais il est déjà trop tard...

Le cahier intime

Josette était très méticuleuse. Elle tenait un cahier intime depuis plus de vingt ans. Je savais que ce cahier existait, mais elle m'avait toujours dit que ce cahier était son secret, que je ne devais pas y toucher (...). Après sa mort je l'ai lu. Ce fut terrible pour moi. Je savais que notre ménage n'avait pas toujours bien marché. Mais je ne me rendais pas compte à quel point Josette était malheureuse. Nous nous sommes mariés en 1953, avons une fille en 1956 et un garçon en 1959.

1er septembre 58 : "Aujourd'hui Jean-Paul m'a donné la première gifle. C'est bien fini avec la tendresse."

Juillet 59 : "J'ai été trop déçue."

Janvier 60 : "Depuis la naissance de Serge, l'amour, c'est fini." (J'ai des problèmes sexuels.)

Mai 60 : "Je le hais. Il y a des jours où je ne voudrais plus vivre." Elle enlève son alliance. Elle voulait "faire quelque chose" mais ne l'a pas fait.

Juin 60 : Josette veut "en finir". C'est de cette époque que date son rêve de mourir à 54 ans.

Février 66 : "J'en ai marre de la vie."

Juillet 75 : "Je ne voudrais plus être de ce monde."

Août 75 : "J'espère une grave maladie."

Mai 76 : "Plus que quatre années à vivre, ce n'est plus tellement loin."

Josette avait besoin de beaucoup de tendresse et d'affection, et moi j'étais incapable de les lui donner. J'étais jeune à l'époque, ambitieux.

Ça ne marchait pas toujours comme prévu au travail et j'étais souvent de mauvaise humeur en rentrant à la maison. Je ne trouvais pas les mots et les gestes que Josette attendait de moi. J'étais un mauvais mari.

Et puis d'un coup, fin 76, je lis : "Nous nous sommes retrouvés. Nous sommes à nouveau heureux. Jean-Paul a changé."

Pourquoi ? Je n'en sais rien, mais nous avons passé quatre années heureuses. Josette ne pensait plus à la mort, mais le mal était fait. Il était trop tard.

Son manque de volonté de vivre pendant de nombreuses années, sa volonté de mourir, ont fait que les défenses naturelles de son organisme, sa "police" étaient affaiblies. La tumeur avait pris le dessus et faisait son chemin. Les événements dramatiques du début de l'année 80 (maladie de sa sœur, décès d'un frère) n'ont fait que précipiter le développement de la maladie.

Je me sens un peu coupable de ce qui est arrivé à ma femme. Je n'ai pas su la comprendre. (...)

Voilà mon expérience, la leçon que je voudrais transmettre aux gens. Le cancer n'est pas une maladie prédéterminée mais le résultat d'un terrain favorable peut-être, mais surtout d'une « faute » qui a été commise. Cette faute est peut-être un virus, un produit chimique, un rayonnement, mais aussi, je le pense, le plus souvent, un état psychique, dépressif, fataliste (...).

Aujourd'hui on lance des campagnes pour la prévention du cancer. Un effort important est fait pour mobiliser les gens, pour récolter des fonds. On va parler aux jeunes des lycées et des collèges des dangers du tabac et de l'alcool. Bravo ! Nous nous donnons bonne conscience. Le problème est-il vraiment là ?

Le tabac : Josette n'a jamais fumé ou si peu.

L'alcool : nous n'avons toujours bu que de l'eau.

Les produits chimiques : nous avions la même alimentation. (...) Il faut être heureux, avoir la joie de vivre et donc la volonté de vivre. Il vaut mieux boire un peu de vin et être joyeux. Là où l'on ne boit que de l'eau, on ne chante pas, on n'est pas heureux. Lorsqu'on est heureux, on n'a pas besoin de médicaments pour dormir, pour lutter contre la migraine, l'angoisse. »

Jean-Paul C., Bas-Rhin.

Tu as préféré changer de coquille

« Tu aurais pu surmonter ton cancer, j'en suis sûre, au moment où la fièvre s'est déclarée. Mais si tu t'en étais sorti, il t'aurait fallu retrouver ta coquille et recommencer dans cette coquille quelque chose de complètement nouveau, abandonner tout ce qui avait été ta vie jusqu'ici. Je crois que tu as préféré changer de coquille. »

Danièle, à son père décédé.

Pourquoi cette maladie s'est-elle déclenchée en moi ? Comment se fait-il que dans notre usine le cancer ait frappé trois fois cette année ?

Trop souvent, c'est un sentiment de culpabilité qui vient appesantir encore les pensées du malade : moi, pourquoi moi ? Pourquoi ma femme, mon enfant ? Vieille résurgence de la maladie-punition-des-dieux. Ce n'est pas un hasard si le concept de « faute » est apparu dans un témoignage. Pour le croyant, cela peut être terrible d'être abandonné par Dieu alors qu'on estime être un juste... Cette attitude, un mélange de culpabilité et de révolte, est à écarter, car elle entretient des idées négatives, un dégoût de soi-même, et finalement l'acceptation résignée de la fameuse punition. A l'inverse, tous les moyens sont bons pour chercher les causes de la maladie, car cette démarche entraîne le malade à se situer dans son milieu et à remonter le cours de sa vie. Toute la conduite à venir, la lutte à mener, découleront de ces prises de conscience. Car c'est justement faute d'avoir découvert seul cette réalité à temps, que cette personne s'est fabriqué peut-être une maladie, signe qu'avant c'était invivable, asphyxiant, insupportable. Le grand malheur a été de taire cette souffrance profonde, d'être soumis aux consignes extérieures, trop « patient » à supporter la situation.

Paradoxalement, la première approche, rationnelle, des causes du cancer nous amène à l'extérieur de la personne, à nous tourner vers l'environnement.

Il faut savoir que 80 % des cancers sont provoqués par les **agents chimiques et physiques du milieu** dans lequel nous évoluons et vivons : alimentation, tabac, pollution atmosphérique, médicaments, radiations diverses... 80 %... c'est le chiffre avancé par une institution internationale reconnue pour son sérieux, puisqu'il s'agit de l'Organisation Mondiale de la Santé (O.M.S.), de Genève. Si l'on prend bien conscience de la signification de ce chiffre, on est obligé d'admettre que le cancer est vraiment une maladie de civilisation, et que l'individu a du mal à y échapper. C'est un peu ce que l'on ressent à la lecture des témoignages des malades vivant leur cancer comme une fatalité, comme quelque chose qui devait nécessairement arriver. Mais la plupart n'ont pas conscience de l'importance de ces facteurs, même si les médias, le corps médical et les institutions mettent souvent l'accent sur le tabac, l'alcool, parfois l'alimentation. Curieusement, le discours médical insiste surtout sur la responsabilité individuelle du fumeur, du buveur, du grand gourmand. Tout un courant de pensée, socialisant, met aussi en avant avec raison les effets de mauvaises conditions de travail, mais la mise en cause s'arrête aux portes de l'atelier ou de l'usine. Ce n'est que le courant écologiste, à partir des années 70, qui a finalement suivi à la lettre les directives de l'O.M.S.

Le rôle du tabac et de la pilule

Le Centre anticancéreux romand, devenu par la suite l'Institut suisse de recherche sur le cancer, étudie depuis 1953 la contraception chimique et les effets biologiques de la fumée de tabac, dont il a mis en valeur quatre substances cancérigènes : hydrocarbures polycycliques, paraffines, des quinines et des « substances brunes » (polymérisées).

Ces substances, les chercheurs ont mis au point un procédé de fabrication pouvant les réduire de 60 %. Ils ont prouvé par ailleurs que les filtres n'avaient aucun pouvoir sélectif sur celles-ci. Le filtre réduit la dose de nicotine, qui est une substance et « drogue inoffensive par elle-même ». En réduisant ainsi la dose de drogue que recherche le fumeur, celui-ci augmente le nombre de cigarettes fumées, obtenant ainsi l'inverse de l'effet recherché...

Ces résultats ont été communiqués par les chercheurs à toutes les instances officielles, qui n'ont pas réagi. Et ce médecin de mettre en cause l'inféodation des États — y compris l'État français, avec la Régie des tabacs — aux sept multinationales qui dominent le marché du tabac...

Aucune recherche sérieuse n'est d'ailleurs menée pour trouver un filtre efficace... Sur la lancée, ce médecin dénonce également l'absence de recherches dans le domaine hormonal chez les femmes qui prennent la pilule. Il laisse entendre que ses effets secondaires pourraient être plus graves que l'on ne pense, une affirmation qui donne à penser que ce médecin ne dévoile pas ses sources inquiétantes. On trouve toutes ces informations dans le « Dossier hormones » de B. et G. Seaman (Ed. de l'Impatient) qui font part d'études épidémiologiques américaines démontrant la plus grande fréquence de cancers de l'utérus et du sein chez les femmes sous contraception orale.

La pollution atmosphérique

Il existe encore un autre scandale : la pollution atmosphérique. L'homme des grandes cités occidentales vit sous un dôme de brouillard chimique toxique : anhydres de soufre, monoxyde de carbone, oxydes d'azote, hydrocarbures polycycliques, particules fines (plomb, amiante, chromate, arséniates, dérivés du nickel...). La nature, à bout de souffle, lance un cri d'alarme : la forêt, les lacs, les plantes, dépérissent sous l'effet de maladies, insectes, « pluies acides ». Parce qu'une industrie, la filière bois, compte en Europe autant de travailleurs que l'industrie automobile, et que de nombreuses communes en tirent leurs revenus, les instances internationales commencent à bouger. Personne ne bouge par contre lorsque l'homme est atteint : bronchites, asthmes, maladies neurologiques, cardiaques et cancers... Personne ne bronche, la médecine est là pour réparer !

Pourtant, la pollution automobile (50 % de la pollution atmosphérique) et la pollution industrielle (30 %) pourraient être réduites, car des solutions existent. Ainsi pour les voitures, il suffirait d'installer un pot catalytique à condition de supprimer l'essence au plomb et d'installer un carburateur contrôlé électroniquement. Depuis 1976 de façon facultative, obligatoire depuis 1981 aux États-Unis, un tel système supprime 96 % des hydrocarbures, 76 % des oxydes d'azote.

La mise en place de pots catalytiques se heurte en France au groupe de pression des fabricants qui, une fois de plus, verront trop tard (chute des exportations) que leur intérêt était d'être à la pointe de ce véritable progrès et non à la traîne.

Pendant ce temps, les habitants des villes aspirent quotidiennement autant de substances cancérigènes que le fumeur de 40 cigarettes par jour, notamment du benzopyrène, hydrocarbure hautement cancérigène, ceci dès la naissance... Aucun médecin qui anime les campagnes nationales pour la prévention n'a mis en valeur ce parallélisme inquiétant. On se contente des rituelles attaques contre l'alcool et le tabac...

Personne ne parle, par contre, du problème de la qualité de l'eau, qui va se poser d'une façon aiguë dans les années à venir. On y tolère déjà aujourd'hui des doses inquiétantes de dérivés nitratés des engrais azotés, qui se transforment en nitrosamines dans l'organisme, substances cancérigènes se retrouvant également dans l'eau de boisson des animaux... Des analyses sérieuses sont-elles faites pour trouver dans l'eau pesticides et autres résidus de l'agriculture chimique ? Les polluants remontent aussi toute la chaîne alimentaire pour se trouver dans notre assiette...

On connaît pourtant depuis de nombreuses années les techniques culturales non polluantes de l'agriculture « biologique ». Il vaudrait mieux aider les paysans à se reconvertir, plutôt qu'inciter les paysans à produire avec de hauts rendements des produits que l'État est obligé par la suite d'acheter pour les détruire. Où est la logique du système ?

Le stress

Toutes ces pollutions agissent sur notre terrain physiologique et biologique et le minent. Notre terrain psychologique, comme d'ailleurs le terrain biologique, est également agressé par le stress, perturbation apportée par tout événement heureux comme malheureux, par toute situation nouvelle. Le stress en lui-même n'est pas néfaste si la personne sait encaisser le coup, arrive à digérer, à faire face à la nouvelle situation.

Il est évident que cela est plus difficile pour les personnes émotives ou celles qui ont trop longtemps bloqué leur énergie et leurs désirs. Faute de pouvoir répondre positivement à l'événement stressant, celles-ci entament leur élan vital et bloquent encore davantage leur circulation énergétique.

Pollutions et stress divers n'expliquent pas pourquoi deux personnes vivant dans les mêmes conditions traumatisantes réagissent de façon différente. Ici interviennent les classifications psychologiques : coléreux, lympathique, nerveux, etc. Un terrain psychologique bien délimité par la psychologie classique. L'homéopathe, lui, intègre ce terrain psy dans un cadre beaucoup plus globalisant avec les fameuses diathèses. Dans les médecines « parallèles », la notion de terrain est d'ailleurs primordiale, tant en ce qui concerne les causes que le traitement individualisé.

Ce terrain, nous en héritons à la naissance, et l'on assiste dans certaines familles à une prédisposition qui peut aussi s'expliquer par la même alimentation, le même habitat (ondes telluriques). L'élément génétique a été mis en évidence par un chercheur français, le Pr. Dausset (Hôtel-Dieu, Paris) avec le système H.L.A., qui rejoint par là des médecines de terrain.

Toutes ces démarches n'expliquent cependant pas tout. Quelque chose dans l'homme échappera toujours à toute tentative de rationalisation. Pourquoi cette femme, en manque flagrant d'amour, a-t-elle pu planifier sa mort ? Pourquoi tel P.-D.G. licencié, tel empereur détrôné, tel patriarche à l'autorité bafouée, ont-ils été emportés très rapidement par le cancer ?

Il y a des causes personnelles, d'ordre congénital, psychologique, historique, qui agissent comme facteur déclenchant, car soumis aux mêmes conditions d'exposition aux nuisances, ou même au mode de vie dégradé, certains fabriquent un cancer, d'autres pas.

Le cancer apparaît dans cette perspective comme une réponse éminemment personnelle à des problèmes insurmontables pour la personne. C'est en somme un suicide déguisé, et la meilleure thérapeutique se révèle inopérante si la personne, tout au fond d'elle-même, a décidé de mourir. Inversement, si l'espoir renaît, elle peut tout aussi bien guérir aux derniers stades de la maladie, parfois alors qu'elle est « condamnée ».

Le cancer apparaît comme une maladie Janus : maladie produite par la personne d'une façon consciente parfois, inconsciente en général, et maladie de civilisation produite par les pollutions de toute nature. Pour le cancéreux, il est sûr que la médecine peut apporter une aide non négligeable, dans la mesure du possible une médecine pluridimensionnelle.

Mais cette aide est inefficace si le patient ne collabore pas, d'une façon ou d'une autre, à la thérapeutique.

Il paraît que le cancer est causé, bien sûr, par les pollutions de toute nature, mais aussi par le mal de vivre dont le symptôme est cette difficulté à supporter le stress. A ce titre, la réponse médicale du cancer, qui est aujourd'hui la seule réponse, semble bien parcellaire. *L'éradication du cancer demande aussi une réponse humaine, sociale et politique en rupture avec le discours médical, quel qu'il soit.*

BESOINS VITAUX FONDAMENTAUX

L'expression du processus vital se manifeste sous forme de pulsions que nous appelons nos « besoins vitaux » : assimilation, circulation, élimination. Notre être tout entier a plusieurs dimensions de vie : biologique, psychologique, sociale, spirituelle, et chacun des besoins s'exprime sous une forme particulière à chaque niveau de vie.

BESOINS FONDAMENTAUX	BIOLOGIQUE	PSYCHOLOGIQUE	SOCIAL	SPIRITUEL
Assimilation Organes concernés : tube digestif poumons, organes des sens, foie, estomac.	Besoin de s'alimenter, d'absorber des nourritures (nutriments, air, soleil) qui reconstituent en permanence nos ressources et notre énergie et nous évite de gaspiller notre Potentiel Vital Originel.	Besoin de recevoir, de capter des perceptions, des sensations, des émotions qui stimulent notre intellect et notre affectivité.	Besoin de la présence des autres et de trouver sa place parmi eux, d'appartenir à un groupe et d'y être reconnu, besoin de recevoir les réactions des autres à notre égard — attrait ou répulsion.	Besoin de nourritures spirituelles, de recevoir les énergies cosmiques.
Circulation Organes concernés : sang lymphe système nerveux et cerveau.	L'énergie absorbée doit circuler selon un certain rythme, en fonction de nos autres besoins, des saisons, de l'âge. Bloquée, elle provoque malaise et maladie.	Notre manière à nous de faire circuler de l'énergie, c'est notre tempérament, notre façon de réagir, la signature de notre caractère, inné et acquis.	Il faut que le courant passe, que l'information circule, que des échanges se fassent, Relations, communications, informations.	Besoin d'être relié à la réalité invisible du monde, les choses cachées, les vibrations, le temps, notre histoire individuelle et collective. Prendre le temps de vivre.

BESOINS FONDAMENTAUX	BIOLOGIQUE	PSYCHOLOGIQUE	SOCIAL	SPIRITUEL
Élimination Organes concernés : peau, membres supérieurs et inférieurs, reins, vessie.	L'énergie absorbée se transforme, une partie matérielle doit être éliminée -déchets, sueur, règles, calculs, selles, gaz. Une autre doit être transformée sous forme de production - travail, œuvre, création, mouvement, d'où le besoin d'agir, de faire des efforts.	Besoin de réagir, d'exprimer ses sentiments, émotions, perceptions, par gestes, paroles, mouvements, cris, larmes, rires, soupirs, bâillements.	Besoin de donner, d'agir avec les autres, de produire, d'aménager, de construire, de trouver sa vraie place, son achèvement social.	Besoin de se dépasser, de connaître les capacités insoupçonnées de notre être et des autres ; de la nature, de l'Univers.

Chapitre IX

Dépistage ou prévention ?

Pour un dépistage médical

« Dans l'atelier où Robert travaillait, René était mort d'un cancer de l'intestin. Aujourd'hui, c'est Martine qui reçoit ses résultats de tests : cancer de l'intestin... L'angoisse s'installe dans notre groupe de travail : trop, c'est trop. Il doit y avoir quelque chose à faire pour prévenir cette maladie. Nous n'allions tout de même pas attendre d'y passer tous. Il fallait faire quelque chose.

Le milieu de travail n'est pas particulièrement polluant, chacun mène sa vie tranquillement. Coup sur coup, ces deux cas tombaient sur notre groupe comme un coup de poing sur la figure.

Nous saisissons les membres du Comité d'Hygiène et Sécurité et décidons de lancer une enquête sur l'entreprise pour connaître les souhaits du personnel en moyens de prévention. L'enquête montre que :

— 82 % souhaitent revoir mis en place l'examen radiologique des poumons qui avait été programmé tous les trois ans.

— 70 % veulent voir mis en place un examen frottis et dépistage du cancer du sein avec un examen annuel.

— 20 % souhaitent une information générale sur le cancer.

— 22 % souhaitent que le C.H.S. s'abonne à des revues spécialisées.

— 30 % pensent que toute prévention est inutile et qu'il est préférable de continuer à vivre comme cela sans penser particulièrement à cette maladie, pas plus qu'à n'importe quelle autre.

Malgré la mise en place de tests systématiques, un cancer de l'estomac et du pancréas se développent l'année suivante sans qu'ils aient été dépistés.

Trois remarques s'imposent à la suite de cette expérience :

1. si on dépiste quelques cancers, on passe à côté des autres ;
2. si on demande aux usagers ce qu'ils souhaitent comme prévention, ils demandent des actions de dépistage de plus en plus nombreux ;
3. le fait qu'on puisse être actif pour sa santé avant la maladie n'apparaît pas dans ce groupe. »

Pierre, Paris.

Il y a des mythes qui ont la vie dure : celle d'une prévention efficace par un dépistage précoce de la tumeur. Il faut une fois pour toutes séparer les concepts de dépistage et de prévention.

Dépister, c'est déjà établir un diagnostic. Prévenir, c'est prendre toutes les mesures nécessaires, individuelles et collectives, pour éviter que ne se développe le cancer.

Il faut ainsi savoir que toutes les campagnes pour un auto-dépistage, par exemple du cancer du sein, ne doivent pas faire illusion. A ce stade de détection, la maladie est déjà à un stade bien avancé. Toutes les méthodes de diagnostic les plus modernes, scanner, R.M.N. (Résonance Magnétique Nucléaire) et même le frottis, sont incapables de dépister le cancer à un stade précoce où le traitement serait vraiment efficace. Toutes les campagnes du corps médical visant à perpétuer ce mythe obtiennent hélas deux effets pervers apparemment contradictoires avec le reste, elles sécrètent et entretiennent l'angoisse, mais aussi donnent une fausse sécurité aux gens qui se soumettent aux examens régulièrement. Dans les deux cas, cette attitude malsaine vis-à-vis du cancer empêche trop souvent toute démarche rationnelle qui conduirait à une prévention individuelle ou globale (voir chap. Dépistage et diagnostic).

Les médecines de terrain pensent, dans le domaine du dépistage, donner des indications précoces. Mais leur fiabilité n'est pas toujours certaine, du moins si l'on s'en tient seulement à l'une ou l'autre d'entre elles. L'intérêt de savoir son terrain « cancérinique » — ce qui ne veut pas dire que l'on a une tumeur — est d'inciter la personne à changer son mode de vie, à corriger certains excès, à se prendre en charge et à suivre un traitement de terrain visant à l'améliorer et à prendre conscience du fait que la solution du cancer passe aussi par des mesures collectives qui touchent tous les domaines de la vie.

C'est à ce niveau aussi qu'une prévention du cancer devrait exister. Mais c'est à ce niveau que l'on se rend compte qu'il existe actuellement un consensus social : c'est comme si notre civilisation acceptait inconsciemment un taux de perte, par cancer ou autres maladies (aussi par accidents de voitures), au lieu de prendre les mesures qui s'imposent. C'est difficile à admettre, mais ces morts inutiles rappellent les sacrifices humains des sociétés archaïques, où le clergé — non encore revêtu d'une blouse blanche — régnait déjà grâce à un savoir ésotérique.

Pour échapper à la passivité des dévôts de notre société de consommation : Priorité au positif, à la vie, à la création, à l'amour, en toute circonstance, et avec bon sens.

Pratiquement cela veut dire :

— Battons-nous pour une alimentation saine, fraîche et légère à la maison, dans les cantines d'écoles ou d'entreprises, à l'hôpital. Faisons des fast-foods, des bonbons, chocolats glacés, sodas... des exceptions et non le menu quotidien. Et si nous ne savons comment faire, prenons un bouquin, participons ou créons un atelier-diététique. Mais ne tombons pas dans une autre religion : pas de régime nocif pour notre organisme et surtout, à la longue, pour notre joie de vivre...

— Protégeons nos bronches, aérons-nous régulièrement à la campagne, mais surtout surveillons collectivement ce que nous respirons dans les quartiers (fumées polluantes), au travail et dans les grands magasins (air conditionné et fumées toxiques).

— Secouons nos carcasses qui ne demandent pas mieux que d'échapper au rythme du métro-boulot-dodo. La marche à pieds est le sport le plus sain et le plus attrayant.

— Occupons-nous de nos têtes (vive la lecture), selon nos affinités et nos goûts personnels. Tant pis pour les modes (parisiennes...). Il faut avoir le courage d'être soi-même.

— Assumons-nous comme nous sommes en nous appuyant sur nos

qualités... Inutile de vivre dans le passé, l'avenir appartient à ceux qui le désirent.

— Évitons ce qui encrasse l'organisme (sang, tissus, tête...), stimulons le système immunitaire, dès l'enfance, laissons le corps vivre ses maladies, gérons nos stress pour qu'ils ne deviennent pas des cicatrices où s'installe à la longue le cancer...

— Et si un jour, l'angoisse de la maladie s'éveille dans les pensées, ne pas l'étouffer : elle est sans doute un signe et un symptôme protecteur. C'est l'occasion d'un échange avec un thérapeute (un directeur de conscience..., il en faut parfois) qui nous aidera à évaluer notre mode de vie, à apprécier l'état de santé du moment (par des tests de terrain, si nécessaire) et qui proposera un traitement de stimulation des défenses naturelles.

A bien y réfléchir, la prévention n'est-elle pas simplement vivre en harmonie avec soi-même et les autres. C'est vivre en bonne santé, mais une santé qui dépasse la définition donnée par l'O.M.S., c'est-à-dire « un état de complet bien-être physique, mental et social ». Il s'agit « d'une **création** dynamique et personnelle, une **recherche d'équilibre** entre notre psychisme, notre corps et notre environnement, la **résistance** aux agressions. Il s'agit d'un **patrimoinoine individuel, collectif, universel** qu'il incombe à chacun de gérer pour le bien de tous ». (Définition de la Charte des Usagers de la Santé.)

La santé se « mérite » et nécessite un apprentissage. Dès l'enfance, en famille, à l'école ou plus tard dans un groupe santé. Gestes pratiques, réflexions peuvent s'acquérir et évoluer tout au long de la vie pour s'adapter aux contraintes du moment.

Oui à une prévention « itinéraire de santé » où l'individu est acteur à part entière pour gérer sa santé au quotidien ; individuelle pour ce qui concerne le corps, collective dès que l'on intervient sur l'environnement.

Enjeu du moment, face à la croissance des dépenses de santé, la prévention que l'on nous propose aujourd'hui ne cache-t-elle pas une hypermédicalisation de notre vie, qui s'inscrit trop bien dans la logique d'une société d'assistés que nous vivons aujourd'hui.

Comment employer les 150 000 médecins français et les 5 000 formés chaque année... Mode de vie ou nouveau marché médical, la prévention reste à inventer !

Chapitre X

La recherche et les usagers de la santé

On pourrait penser que ce n'est pas l'affaire de l'usager. Il n'est pas un scientifique, ni un chercheur, donc il n'y comprend rien. Il doit alors faire confiance aux chercheurs et aux spécialistes. Cette attitude se défend certainement dans beaucoup de domaines — encore peut-elle être discutée — mais pas dans le domaine médical où le patient est le premier concerné en tant que cobaye des expérimentations faites avec les nouveaux médicaments.

Et ces expérimentations ne sont pas inoffensives, souvenez-vous de l'expérimentation de l'interféron qui a finalement été retiré ayant causé un certain nombre de victimes. Mais combien de médicaments qui n'ont pas eu la faveur des médias, arme à double tranchant pour le thérapeute en quête de gloire, sont-ils passés de mode après des « mauvais résultats » répétés ? Une enquête américaine récente confirme l'ampleur du phénomène.

L'usager-patient doit-il se contenter de subir ? En France, le Comité National d'Éthique s'est penché sur ce problème, notamment sur l'administration d'un placebo, médicament non actif utilisé dans les protocoles randomisés. Il faut savoir que dans ces expérimentations, le nec plus ultra scientifique, on forme d'une façon arbitraire (en fait selon des règles mathématiques) deux ou plusieurs groupes de patients pour donner à chaque groupe un traitement différent, médicaments référencés à l'efficacité connue, nouveaux produits à expérimenter, placebo et parfois groupe témoin qui ne reçoit rien du tout.

Souvent, l'expérimentation est faite en double-aveugle, c'est-à-dire que ni le patient ni le personnel infirmier ne savent quelle médication est administrée... Dans le domaine du cancer où souvent le malade ne connaît pas la nature de son mal, celui-ci est le cobaye « humain » idéal. Mais le Comité d'Éthique, composé de scientifiques et de chercheurs, ne semble pas vouloir revenir sur ce type d'expérimentation. Pour le consentement à l'expérimentation, le comité fait la distinction entre les sujets sains et les sujets malades.

Si pour les premiers, le consentement doit être inscrit dans une Convention après une information complète, pour les malades, le consentement peut être oral ou écrit et l'information limitée « si l'intérêt du patient l'exige ». On voit que l'habitude du secret est bien ancrée. En ce qui concerne le traitement par placebo, là aussi le groupe de référence, non traité ou traité par placebo, est recommandé pour la moitié des patients... Il ne peut être envisagé si un traitement actif existe !

Ces façons d'agir sont particulièrement scandaleuses pour le malade ravalé au titre d'un cobaye animal (dont l'expérimentation est contestée par certaines associations) ! Mais que dire lorsque c'est l'homme qui en fait les frais ? Le malade peut-il encore avoir confiance dans son thérapeute ? Celui-ci ne respecte pas son code de déontologie qui lui enjoint de faire son possible pour soulager son patient.

On peut imaginer la situation extrême — peut-être assez fréquente, car quel contrôle avons-nous ? — du cancéreux qui ne sait pas qu'il a le cancer et qui prend des médicaments placebo ! Ou alors un médicament expérimental aux effets inconnus. Les cas de figure sont multiples. Ils sont intolérables pour le patient, tout à fait légitimes pour certains médecins-chercheurs, pour lesquels prime la recherche scientifique faite selon lui dans l'intérêt de la lutte contre le cancer.

Pour l'usager, il est évident que le traitement par placebo ou le groupe témoin sans traitement doivent être prohibés de l'hôpital. En ce qui concerne l'expérimentation des nouveaux médicaments, le consentement actif du patient est primordial. En fait, deux thèses sont en présence :

1. L'action du remède sur l'organisme est indépendante de l'environnement et de la personne traitée.

2. L'action du remède est amplifiée par l'environnement (on appel-

lera environnement la traduction énergétique d'une multitude de facteurs : psychiques, milieu affectif, oxygénation, état des défenses...).

La recherche scientifique a été marquée par la conception mécaniste de la médecine où l'objectif est de détruire l'agent causal de la maladie, et on s'est doté de méthodes d'expérimentation adaptées à cette conception.

La thèse que nous défendons, la deuxième, a été confirmée par la recherche scientifique elle-même. Les chercheurs ont en effet remarqué une amélioration pouvant aller jusqu'à 48 % dans des groupes placebo ! Il est donc scientifiquement prouvé que la participation active des patients, en l'occurrence leur croyance dans le pouvoir du médecin ou l'efficacité du remède, compte. Il a été constaté dans les groupes-santé que chaque fois que les malades avaient une démarche positive : recherche d'informations, d'autres thérapeutes, de remèdes alternatifs, qui se traduisaient par le désir de guérir, les remèdes étaient plus actifs. Enregistrer, lors de toute médication, toutes les réactions de l'organisme et les « rapporter » devrait être la collaboration minimum entre le malade et le thérapeute.

Cette connaissance par le patient des réactions de son corps, l'expérience des groupes d'usagers, devraient être prises en compte dans les grands choix de la recherche. Il est en effet temps de sortir celle-ci et les chercheurs de leur tour d'ivoire. Les malades qui participent directement, comme les usagers en général qui sont des utilisateurs potentiels, des décideurs en tant que citoyens (l'État, c'est nous...) et des payeurs (l'impôt et la contribution à la S.S.) doivent contribuer à orienter les travaux en fonction de leurs interrogations et de leurs besoins. Nous voyons chaque jour les limites d'une médecine mécaniste. C'est aussi au niveau des conceptions de la médecine qu'il faut intervenir, là les usagers ont un rôle prépondérant à jouer.

Quelqu'un voulant se construire une maison n'aurait pas l'idée de dire à l'architecte : « Faites-moi une maison et, quand elle sera finie, vous m'appellerez ! » L'usager a un mode de vie, une manière à lui d'habiter, des aspirations concrètes et c'est du dialogue entre l'expression de ces besoins et les compétences scientifiques et techniques de l'homme de l'art que naîtra le produit. Il doit y avoir un lien étroit entre le concepteur et l'utilisateur, la théorie et la pratique.

De plus, des sommes énormes sont affectées à la recherche sur le cancer, les sollicitations bien orchestrées touchant le public sur sa corde la plus sensible : la peur de la mort. On ne voudrait pas être dupes.

Attention, nous ne disons pas que la recherche est inutile. Au contraire, nous sommes convaincus de la nécessité d'instaurer une réflexion à ce propos... Envoi de dossier ou demande d'information : G.R.E.T.A.C. (Groupe de Recherches et d'Études des Thérapies Alternatives Complémentaires), 2, rue des Genêts, 31500 Toulouse.

La Concertation nationale de novembre-décembre 1982 tenait compte de cette aspiration. Dommage qu'elle ait été faite « à l'arraché », dans des délais contradictoires avec une concertation populaire. Pour la première fois, les partenaires de la maladie ont pu échanger et confronter leurs opinions. Sur de nombreux thèmes, l'échange a été fructueux et a permis de constater notamment toute une évolution du personnel infirmier et l'intervention en cancérologie de para-médicaux (kiné, diététiciens...). Il faut veiller à ce que ce mouvement ne soit pas qu'un feu de paille.

Les militants des groupes d'usagers parlent du lieu où ils sont, lieu de l'expérience des gens, des malades, une expérience et un vécu confrontés aux théories.

Les théories sur l'origine du cancer concernent tout le monde car ce sont elles qui guident la mise en place des traitements

Et les traitements, c'est ce sur quoi l'on mise pour obtenir la guérison...

Très peu de médecins ont voulu partager leur savoir et permettre au public d'appréhender le cancer en utilisant un langage compréhensible. Reconnaissons que généralement, ceux qui nous ont facilité cette démarche sont les mêmes qui, animés de curiosité (le propre de la recherche), ont franchi la barrière de l'« officiel » pour regarder de plus près du côté des recherches et thérapies « non officielles ».

Nous sommes en présence de deux orientations théoriques contradictoires, ou du moins, qui s'affrontent comme telles. L'une domine largement le système conceptuel et thérapeutique en vigueur dans les hôpitaux. L'autre, marginale, dispersée, contestée, préside à la majorité des thérapeutiques dites « parallèles ».

Quelles sont ces deux orientations ?

(Faute du maniement du langage scientifique, nous utilisons volontairement un langage analogique.)

1. La première conception évoque les cellules cancéreuses comme des envahisseurs forts et puissants, normalement éliminés par l'organisme quand ils sont en petit nombre, mais qui, lorsqu'ils se mettent à proliférer dans un point particulier du corps, ou en plusieurs points, sont capables de le ravager tout entier, à moins qu'ils ne soient détruits à temps. Ce processus est irréversible à partir d'un certain stade.

2. Dans la deuxième conception, il y a un terrain mal nommé, asphyxié, déséquilibré, progressivement impropre au développement normal du processus vivant. Dans ce contexte, la prolifération des cellules cancéreuses peut se concevoir comme un moyen de lutte, une suractivité désordonnée pour « sauver la baraque », la concentration des cellules dans une tumeur pour faire la « part du feu ». Ce processus est d'abord général, puis local. Il peut s'inverser et la part du psychisme, du « moi » intime est peut-être déterminante dans ce processus.

On comprend que, face à ces deux conceptions avec toutes leurs variantes, la stratégie, le travail de guérison, ne seront pas les mêmes :

— D'un côté, l'organisation puissante de l'ennemi suppose un combat de plein front : il faut frapper fort, utiliser des armes conventionnelles, les chars, les bombes, le glaive contre l'envahisseur et tant pis si le territoire est saccagé.

— De l'autre, c'est la guérilla, la rébellion, mouvement d'insurrection d'« invivable » du terrain. La stratégie consiste à reconstituer les forces naturelles pour qu'elles prennent du mordant et remettent un peu les choses à « leur vraie place ». Quoique contradictoires, ces deux visions sont des reflets différents mais réels d'un phénomène qui échappe, pour l'heure, à toute explication scientifique. Plutôt que de s'opposer, ces explications se situent à des niveaux différents. Ce que l'on peut leur reprocher, c'est d'avoir jusqu'à présent privilégié une seule approche, traitant toutes les autres hypothèses d'hérésie. Sans doute ne brûle-t-on plus les chercheurs hérétiques sur des vrais bûchers comme au Moyen-Age, mais les morts modernes (exclusion et silence) en étant plus douces n'en sont pas moins des morts. Ainsi des chercheurs officiels deviennent-ils d'un jour à l'autre des charlatans que l'on chasse, d'une façon ou d'une autre, de l'institution ou que l'on met à vie sur une voie de garage.

De quel droit, et selon quelle procédure, incontrôlable par les citoyens — même médecins — décide-t-on de la valeur d'un médicament ou d'un traitement ? Qui, lisant ces lignes, connaît le nom de la commission toute-puissante ou peut mettre un nom sur l'un de ces membres de la commission qui a dans ses mains le redoutable privilège de juger ce qui est bon pour les humbles sujets d'un État tout-puissant ?

J'exagère ? Pourquoi, par exemple, lors d'une émission sur A2 qui portait sur les médecines parallèles, n'a-t-on pas la première fois osé prononcer le nom de Beljanski, le chercheur du C.N.R.S. qui a inventé un médicament soignant un moment la petite Valérie ? Son nom a été censuré par une coupure.

Et pourtant, en parole, certains grands patrons reconnaissent eux-mêmes que la recherche actuelle plafonne, qu'il faut aller dans d'autres directions. Que la recherche de remèdes durs ne peut qu'améliorer ces remèdes, mais que cette approche a ses limites. L'appareil officiel est-il capable d'une remise en cause culturelle ou faut-il persévérer à construire *à côté* des protocoles susceptibles de prendre en compte toutes les facettes favorisant l'action d'un remède ?

Une piste intéressante à suivre serait celle de la réversibilité des cellules cancéreuses. Il s'agit là plus que d'une hypothèse, puisque un certain nombre de cas de guérison, parfois au dernier stade de la maladie, ont été observés, sans pouvoir en attribuer le mérite à une intervention dure. Volonté du malade, qui a su mettre en action les forces du psychisme, action du jeûne ou d'un régime (macrobiotique par exemple) ou d'une thérapie de terrain… telles sont les données côté « jardin ». Côté « cour », cela fait déjà 20 ans que le professeur israélien Sachs travaille en laboratoire sur des cellules leucémiques qu'il a récemment réussi à rééduquer. Aux États-Unis, un chercheur, Charlotte Friend, a fait redifférencier des cellules d'érythroleucémie. En France, en 1981, le Dr Bocquet a obtenu la réversion de cellules cancéreuses (col de l'utérus) en laboratoire, puis étant passé à l'expérimentation humaine, un certain nombre de résultats prometteurs sont venus couronner ses recherches. On assiste ainsi, si l'on veut bien mettre de côté tout sectarisme, à une convergence des médecines « parallèles » et de certains travaux officiels. Le sectarisme n'est actuellement pas encore dépassé et l'on assiste même à une aggravation de la répression à l'égard d'un certain nombre de thérapeutes qui ont pris le risque d'agir à visage découvert, de concert avec les usagers. C'est ainsi que tout récemment (novembre 84), les autorités inquiètent à nouveau par voie judiciaire la Fondation Solidarité de Lens, association qui diffuse un certain nombre de médicaments ainsi que les médecins qui la soutiennent, les Dr Tubéry (voir Plantes africaines), Lagarde et Lacaze.

Les malades souhaitant pratiquer ces thérapies ont-ils toujours à payer le prix fort et à prendre tous les risques ? Et les médecins généralistes comme les chercheurs hérétiques sont-ils condamnés à rester une minorité toujours menacée ?

On accepte, du bout des lèvres, la part de plus en plus grande que prennent les médecines « douces », homéopathie, acupuncture, que l'on commence même à enseigner dans certaines universités, telle Bobigny. Mais on les cantonne dans le domaine des maladies fonctionnelles, de « bonne femme », tandis que le cancer reste la maladie réservée à la médecine « sérieuse ».

Les usagers, en premier lieu de nombreux cancéreux, ne veulent pas autre chose : devenir des citoyens à part entière, surtout dans l'état de faiblesse que l'on appelle maladie.

Gagner la bataille du cancer, c'est avant tout comprendre cet enjeu : que c'est à la personne elle-même de décider si elle veut guérir ou pas et d'en prendre les moyens, librement.

Dans l'immédiat, ce que nous proposons, c'est une recherche vivante à laquelle malades et médecins généralistes participent. Que le malade — il a une large responsabilité dans l'organisation de sa thérapie — essaye, complète une thérapie par une autre.

Des pistes s'ouvrent, sont reprises par d'autres malades. Ainsi naissent, avec beaucoup d'empirisme, des éléments de méthode. Guérisons, rémissions ne constituent pas le seul critère de jugement d'une thérapie. Au critère quantitatif, il faut ajouter le qualitatif, c'est-à-dire tout ce qui fait la qualité de la vie du malade : intégrité physique, force vitale, souffrances minimales, tous éléments qui ne sont pas pris en compte par la médecine officielle.

En donnant une plus large place aux généralistes (dont les médecins de terrain), plus proches des malades et de leur famille, on permet l'émergence d'une médecine plus humaine.

IIe PARTIE

La boîte à outils

Côté cour, côté jardin

Voilà la classification qui traverse cette « boîte à outils », répertoire des principaux moyens de diagnostic et de traitement du cancer.

Le terme parallèle pour ce qui est désigné « côté jardin » est peut-être le plus mal choisi, car il laisse supposer que nous sommes en présence de deux systèmes totalement différents qui ne se rencontrent pas. En fait les côtés « cour » et « jardin » sont plus étroitement mélangés qu'on ne le croit car il s'agit de *médecines convergentes,* un terme plus juste que *médecines adjuvantes* supposant une hiérarchie. L'expérience de nombreux malades comme le simple bon sens imposent en effet l'idée selon laquelle il n'y a pas d'autre hiérarchie que celle commandée par l'état spécifique du patient. La connaissance est la condition première de toute thérapeutique. Ce dictionnaire est destiné à donner des éléments de connaissances et surtout l'envie de se renseigner davantage. Nous renvoyons ainsi le lecteur à d'autres ouvrages, tant pour approfondir ces éléments que pour connaître les thérapeutiques citées ou non dans la première partie du livre, et que nous n'avons pas reprises dans cette boîte à outils.

Nous n'avons pas non plus parlé d'un certain nombre de théories du cancer — accompagnées ou non d'un traitement —, à cause de leur marginalité et de la difficulté de trouver tant le remède que le thérapeute qui les met en œuvre.

Dépistage et diagnostic

Les différents stades du cancer

Stade du pré-cancer : Le stade pré-cancéreux est difficilement diagnostiqué par les tests officiels (voir tests). Grâce au microscope optique, on peut remarquer une grande irrégularité entre des cellules qui ont perdu leur uniformité. Cellules naines et cellules géantes coexistent avec des cellules normales et des cellules présentant de grossières irrégularités du noyau.

Stade I : ou stade du cancer localisé. Ici, la structure de la cellule montre une tendance plus affirmée au retour à un type « indifférencié », et les cellules anormales ont tendance à s'infiltrer dans les tissus environnants. Ce stade comporte plusieurs étapes, depuis les premières cellules indifférenciées jusqu'à la tumeur d'une taille de balle de tennis, résultat de vingt-cinq divisions cellulaires qui ont produit plus de trente millions de cellules.

La vitesse de croissance est lente dans le cas de tumeur encore proche du tissu normal où les cellules malignes ressemblent aux cellules d'origine. Elle est au contraire rapide lorsque les cellules malignes sont « primitives » et « indifférenciées » (anaplasiques) et qu'elles pourraient venir de n'importe quel tissu. On voit toute l'importance de cette observation pour la mise en œuvre d'une thérapeutique (voir Chirurgie).

Stade II : Il s'agit d'une tumeur apparemment encore confinée à son organe d'origine et qui a cependant atteint le ganglion lymphatique drainant la région de cet organe.

Stade III : La dissémination par voie lymphatique s'étend au-delà des ganglions lymphatiques régionaux.

Stade IV : C'est le stade terminal où des amas de cellules cancéreuses se propagent dans tout l'organisme par le réseau sanguin et établissent des colonies appelées métastases ou tumeurs secondaires.

Depuis la première cellule cancéreuse jusqu'à la tumeur mortelle d'un kilo, il peut se passer, selon les cas, de trois à plus d'une dizaine d'années. De fait, l'histoire du cancer commence déjà bien avant, **au cours d'un stade pré-cellulaire,** où un terrain précancéreux s'installe progressivement et permet la première multiplication de la cellule cancéreuse. A partir de là, commence une phase souterraine, **l'état cancéreux sans signe clinique, stade 1 à 3**, qui dure le temps nécessaire à la première cellule de se doubler trente fois, c'est-à-dire d'atteindre une masse tumorale de 1,3 cm pesant 1 gramme. La tumeur peut enfin être diagnostiquée par les différents moyens conventionnels mais c'est hélas le stade à partir duquel le doublement, exponentiel, va de plus en plus vite : à la quarantième division, nous sommes **à la masse fatidique de 1 000 grammes (stade 4)**.

Les domaines où s'exercent les moyens de dépistage et de diagnostic non conventionnels sont les stades 2 et 3. Le diagnostic médical classique le plus moderne ne permet pas de déceler une masse tumorale de moins de 10^9 cellules, soit 1 gramme, stade à partir duquel le cancer se propage aussi dans tout l'organisme (métastases).

Plusieurs types de classifications ont été établies — chacune apporte ses types de renseignements.

Pour communiquer, les cancérologues du monde entier ont choisi d'utiliser cette **CLASSIFICATION TMN** :
T (noté de 1 à 4) donne une estimation de la taille de la tumeur primitive — **To** signifie que la tumeur primitive n'a pas été trouvée — **Tx** qu'il n'est pas possible de la classer.
N (de 1 à 4) donne une estimation de l'état des ganglions lymphatiques — **No** ganglions non palpables.
M indique les métastases — **Mo** signifie que l'on n'a pas décelé de métastases. — **Ml** qu'elles ont été décelées — **Mx** qu'il n'est pas possible de juger de ce point.
Et vient en précision le type histologique de la tumeur (ex : sarcome, ostéosarcome, etc.)

Cette classification ne met pas en évidence l'état du terrain et son évolution en cours de thérapie.

I. Le terrain cancérinique

1. Côté cour

a) groupes H.L.A. : L'immunologie est une science médicale qui prend actuellement un nouvel essor. Le prix Nobel français Jean Dausset a découvert le *système H.L.A.* qui permet de classer des « groupes de maladies » inscrits dans nos gènes. Cette découverte, déjà utilisée expérimentalement, confirme l'approche des médecines de terrain et permettra d'affiner certaines de leurs observations.

b) groupes à risques : Au lieu d'avoir une démarche médicale classique, on part des études épidémiologiques et statistiques qui déterminent un certain nombre de facteurs de risques : âge, alimentation, tabagisme, alcoolisme, profession, milieu social, antécédents familiaux. Il est certain qu'un véritable dépistage doit tenir compte des conditions de vie et que chaque cancer a ses propres facteurs de risque. Mais cette démarche ne peut être vraiment efficace que si elle est prise en charge par les gens eux-mêmes et non parachutée bureaucratiquement d'un quelconque service d'hygiène, sans compter le danger pour l'individu d'être classé dans un groupe de « pestiférés ».

2. Côté jardin

a) action associative : On serait tenté d'opposer à ce dépistage de « groupes à risques », l'action de prévention de toutes les associations qui touchent d'une façon ou d'une autre au domaine de la santé : associations, groupes (tels les G.U.S. — *groupes d'usagers de la santé*), syndicats de travailleurs ou de cadre de vie. Toutes leurs démarches tendent à responsabiliser les gens et à les amener à se prendre en charge à tous les niveaux. La collaboration, nécessaire, avec des spécialistes du monde médical, est là tout à fait fructueuse.

b) se prendre en charge : S'écouter, se connaître, est le premier devoir que l'on a envers soi-même. Fatigue inexpliquée, état de stress incessant, troubles du sommeil, dépression et nervosité, manque de combativité, tristesse, frilosité envers la vie, autant de symptômes qu'il ne faut pas laisser s'installer sans réagir.

Sur le plan immunologique, on retrouve les deux extrêmes, soit des inflammations et des fièvres chroniques, soit au contraire l'absence de toute fièvre depuis des années. (Voir l'*Hyperthermie*). Il faut également surveiller son métabolisme : tout dérèglement continu de la digestion doit être soigné (et non réprimé...)

En fait, il s'agit d'avoir une *attitude* normale *« d'écoute »* de son corps, une écoute que la connaissance des terrains homéopathiques rend encore plus efficace.

c) le terrain homéopathique : D'après le Dr Michaud, un seul des quatre terrains — dits aussi diathèses (le psore, le turberculinisme, le luétisme et la sycose) est à surveiller tout particulièrement du point de vue cancérinique. Il s'agit de la *sycose,* aussi appelée « réticulo-endothéliose », à savoir le vieillissement prématuré du tissu réticulo-endothélial qui conditionne notre longévité. C'est le blocage progressif des défenses de l'organisme qui se met à fonctionner « au ralenti » sur les plans immunologique, circulatoire ou endocrinien. On assiste notamment à un effondrement des gamma-globulines et à une transformation morphologique de l'individu qui tend à s'arrondir ou à maigrir. Il a l'air plus vieux que son âge. Son visage, pâle, jaunâtre ou gris, c'est selon, se creuse de rides précoces. Son regard perd de sa vivacité et sa peau se couvre parfois de verrues ou de taches brunâtres. Chez la femme, se rajoutent à ces signes : troubles des règles, kystes ovariens, utérus fibromateux, douleurs des seins avant les règles.

Ces troubles physiques s'accompagnent de troubles psychiques, à commencer par une diminution du désir et des possibilités sexuelles. Le cancérinique est un grand anxieux, une anxiété qui précède d'ailleurs le stade d'indifférence de la dépression. Une de ses anxiétés est, d'après le Dr Vannier, la crainte obsessionnelle d'avoir un cancer. Peut-être cette crainte n'est-elle que le diagnostic que pose instinctivement le cancérinique ? Peut-être certains êtres construisent-ils leur cancer à force d'en avoir peur ? C'est ce que les Simonton* appellent la « réalisation d'une prédiction ».

Un autre terrain, *la spore*, est caractérisé chez l'adulte par une ou plusieurs éliminations pathologiques qui alternent, par exemple, eczéma et asthme. Il ne faut pas les supprimer par une médicamentation annihilant les symptômes (corticoïdes). Il faut surveiller les améliorations spontanées de ces troubles chroniques. Chez *le tuberculinique*, où ces éliminations ont pris le chemin O.R.L., il faut se méfier d'un tarissement trop miraculeux. La démarche classique utilisant les antibiotiques est très dangereuse à long terme.

Dernier terrain, *le luétisme* est caractérisé par une sclérose tissulaire et vasculaire et la pauvreté en oxygène de l'organisme. A surveiller particulièrement la seconde partie de la vie où peuvent se déclarer de redoutables cancers : cancers anaplasiques du poumon ou adénocarcinomes. Pour le Dr Rueff, l'oxygénothérapie est bien indiquée tant au niveau de la prévention que de la thérapie adjuvante.

* Simonton C., Simonton S., Creghton J. : *« Guérir envers et contre tout »* Éd. Épi et aussi *« La famille, son malade et le cancer »*, Éd. Épi.

II. Le dépistage de terrain

A un quelconque stade, si l'on veut connaître plus précisément l'état de son terrain, il vaut mieux s'adresser à un spécialiste des médecines de terrain, médecin homéopathe, acupuncteur, etc. ou même à un « conseiller de santé », naturopathe non médecin, non reconnu en France, à l'inverse des « Heilpraktiker » allemands. Ils connaissent un certain nombre de techniques de dépistages, généralement non remboursées par la S.S. Nous en donnons ici quelques-unes, très sommairement.

a) iridologie : La méthode consiste à analyser les terrains et leurs déviations métaboliques par examen de l'iris de l'œil où toutes les parties du corps ont leur place. La structure des rayons iridiens (stries), les taches, les cercles sont décriptés. Une photographie, un grossissement de l'image, permettent une étude assez précise ; il faudrait cependant des études expérimentales plus poussées pour unifier les différentes « cartes iridiennes » existantes.

Les iridologues utilisent les mêmes concepts que l'homéopathie. André Roux, un de leurs chefs de file non médecin, cite le Dr Roland qui caractérise la diathèse cancérinique en iridologie comme une « conjonction particulière des diverses intoxications précédentes, véritable aboutissement polytoxinique » (voir *Hygiène vitale*). Cette intoxication du sang se marque dans la trame iridienne dont l'*anneau périphérique* (correspondant à la peau et à la circulation capillaire) s'assombrit, devient bleu-noir dans les iris bleus, brun-noir dans les iris marrons. Les *anneaux de crampes* ou sillons de contraction deviennent plus marqués, ainsi que les *rayons solaires*. Ces trois signes primaires de la diathèse neuro-arthritique sont un avertissement : le corps manque d'oxygène. Si la tendance n'est pas inversée, il y a passage dans la diathèse anergique avec aggravation de l'alcalose du sang et de l'oxydation. Celle-ci se marque *sur le plan pupillaire* (collerette gastro-intestinale) *par une surpigmentation* et *dans la zone neuro-glandulaire* et de grande circulation sous la forme d'une *couronne brune*. Des dépôts d'acide urique et oxalique se voient aussi sous l'aspect de *nuages ou de nappes blanches ou oranges*. Tous ces signes, en particulier toutes les *grosses taches brunes géométriques*, indiquent une prédisposition, mais on peut aussi vivre très vieux avec une telle image. Cet examen demande à être complété par d'autres examens de dépistage.

Où s'adresser : André Roux, président de Vie Naturelle, La Seyne-sur-Mer (83), association qui a un certain nombre de conseillers-nutritionnistes dans toute la France. / Association française d'iridologie appliquée B.P. 482 27004 ÉVREUX CEDEX / *Vie et action* à Vence (06).

b) les cristallisations sensibles : Ce test a été mis au point par l'anthroposophe Pfeifer dans le laboratoire de chimie biologique de Dornach près de Bâle. Il consiste à mettre sur une plaque de verre une goutte de sang en présence d'une solution de chlorure de cuivre et à examiner ensuite la forme de la cristallisation. L'image qui en résulte présente plusieurs plages et sa cristallisation se fait autour de deux centres. Elle est un instantané de l'équilibre général des « forces formatrices » de l'individu, encore appelées forces éthériques (voir *Médecine anthroposophique*). Comme l'iridologie et tous les tests et moyens de diagnostic du cancer, cet examen n'est pas spécifique à cette maladie. C'est l'interprétation des distorsions qui permet de soupçonner dans certains cas un processus cancéreux. C'est sans doute le test de dépistage le plus précoce.

c) la méthode bio-électronique de Vincent : Elle a été inventée il y a trente ans par l'ingénieur Louis-Claude Vincent, spécialiste en hydrologie et travaux d'hygiène publique. Elle consiste à mesurer à l'aide d'un appareil électronique simple trois paramètres du sang : le ph qui mesure l'*acidité* (concentration en protons H+), le rh2 qui réflète le *pouvoir oxydo-réducteur* (richesse en électrons), le « ro » qui mesure la *résistivité,* paramètre traduisant le pouvoir conducteur et la concentration ionique. Les points représentatifs de ces trois humeurs sont reportés sur un graphique et une série de calculs effectués sur ces 3 × 3 = 9 facteurs conduisent à des valeurs qui permettent de caractériser de façon *quantitative* le terrain du malade.

Des observations, accumulées depuis 25 ans, surtout en Allemagne, permettent de définir un terrain pré-cancéreux et cancéreux et l'existence d'un stade de cancer réversible susceptible de mener à un stade irréversible. L'appareil lui-même gagnerait en fiabilité s'il était amélioré, selon certains thérapeutes. Pour plus de détails, lire la brochure éditée par l'A.D.I.S. « Dépistage et diagnostic dans les médecines de terrain ».

d) le C.E.I.A. : Il s'agit d'un test consistant à soumettre le sérum séparé du sang à 46 paramètres biologiques. Il s'agit en général de tests de floculation portant sur les protides du sang. Leurs perturbations sont analysées par un ordinateur qui représente sur un diagramme le « profil biologique » du patient. Dans une deuxième phase, l'ordinateur cherche le profil d'un remède phytothérapique qui se rapproche le plus de celui du patient. Ce test peut dépister un cancer, mais n'est pas infaillible.

Il doit être associé à d'autres tests.

Une dizaine de laboratoires pratiquent le C.E.I.A. en France.

Où s'adresser : A votre médecin ou votre pharmacien. Le Centre Européen d'Informatique et d'Automation, Château de Carbonnières. Lacenas 69640 DENISE. Tél.: (74) 67.31.17. peut également vous renseigner. (Une bonne partie du test est remboursée par la S.S.)

e) l'hémotest de Mattei : C'est un test sérologique de terrain qui décèle la prédisposition au cancer. Un prélèvement de 8 cc de sang sur citrate de soude est réparti dans quatre tubes : un tube témoin où l'on apprécie l'hémolyse spontanée, c'est-à-dire la libération de l'hémoglobine contenue dans les globules rouges. Chez un sujet sain, elle ne se fait pas spontanément. On provoque l'hémolyse dans les autres tubes par l'adjonction de venin de cobra, d'abeille et de lipoïdes de couleuvre. On mesure aussi la vitesse de sédimentation.

Ce test, très pratiqué par les homéopathes, permet de suivre l'évolution de la maladie.

f) l'effet Kirlian-d'Arsonval : Ce test est issu de la rencontre entre la technologie occidentale (maîtrise de l'électricité) et la médecine chinoise. Entre 1900 et 1920 le Français d'Arsonval et en 1939 le Russe Kirlian ont découvert que les corps, vivants ou non, soumis à des courants électriques, émettent une radiation bleutée qui impressionne le film photo. Le Heilpraktiker allemand Mandel et le physicien Lerner ont appliqué une découverte autrichienne qui mettait en rapport la photographie obtenue et les méridiens d'acupuncture passant par les mains et les pieds.

Deux écoles existent, l'école Kirlian, qui utilise un appareil émetteur de courants haute fréquence et haute tension (américain, allemand, roumain), et l'école française, qui utilise un appareil émetteur de haute tension et de basse fréquence mis au point par d'Arsonval. Le promoteur de l'école de spectographie française est le Dr Lambin-Dostromon, pour qui cet appareil est beaucoup moins toxique que celui de Kirlian. Sur la spectographie, on peut lire l'état de chaque méridien et son blocage ; l'état de chaque organe ou système ; l'état du terrain et des niveaux énergétiques steineriens ; la toxicité et la tolérance des traitements (primordiales en cancérologie) ; l'avenir clinique du sujet (infarctus et cancer).

Où s'adresser : Dr Lambin-Dostromon 19500 TURENNE-MEYSSAC. Tél. : (55) 85.90.23. Brochure « Diagostic et dépistage dans les médecines de Terrain » de l'A.D.I.S.

g) autres approches énergétiques : La médecine occidentale a mis longtemps avant de s'intéresser à la médecine énergétique chinoise, dont est issue l'acupuncture. Elle émerge aujourd'hui grâce à des acupuncteurs, médecins ou non, dans toutes les régions françaises. Les meilleurs sont ceux qui ont suivi une formation de médecine chinoise traditionnelle (ni mécaniste ni superficielle). Étudier l'acupuncture, comme d'ailleurs les autres médecines de terrain, simplement en dernière année, est encore plus grave que de ne pas en faire du tout, dans l'intérêt de l'usager...

L'acupuncteur traditionnel a à sa disposition l'observation, l'auscultation, la palpation, l'interrogatoire. Par la palpation, il examine notamment les *27 pouls traditionnels*.

Ce diagnostic du pouls a été repris par le Dr Nogier qui a développé un sous-produit de l'acupuncture, *l'auriculomédecine.* Celle-ci inclut des éléments proprement occidentaux comme le magnétisme et l'anthroposophie. Elle accorde une grande place aux modifications conjointes de « l'éthérique » — première enveloppe invisible du corps humain — du thérapeute et du malade lorsqu'ils se trouvent en contact. Les indications sont données par les pouls des deux personnes.

La *radiesthésie* avec le pendule, le *magnétisme* avec les mains, la *voyance* avec le « psychique », sont autant de techniques qu'il ne faudrait pas délaisser ni tourner en ridicule, de même d'ailleurs que l'*astrologie* qui donne des indications très précieuses.

Conclusion : Toutes ces techniques et tests de terrain, qui ont des résultats indéniables, devraient trouver leur place dans la palette des techniques médicales. Chacune a ses limites, d'ailleurs connues par les thérapeutes sérieux qui les utilisent. Il ne sert cependant à rien de les rejeter ou de les dénigrer, surtout lorsqu'on a rien à proposer.

L'intérêt de l'usager, pour lequel le cancer est une question de vie ou de mort, devrait guider la politique des services publics de la santé, théoriquement au service du public et non à celui de telle ou telle chapelle ou bureaucratie en blouse blanche payée avec l'argent du même usager.

III. Le diagnostic du stade préclinique

A. Le diagnostic côté cour

1. Le frottis

a) identité : Ce test permet le dépistage du cancer du vagin ou de l'utérus avant l'apparition de signes cliniques. Il doit être effectué en dehors de la période des règles et en l'absence d'infection génitale. Il s'agit d'un examen au microscope d'un prélèvement de cellules de la muqueuse du col de l'utérus et du vagin, dont la coloration permet de différencier les cellules saines de celles qui ne le sont pas : cellules inflammatoires, suspectes, d'apparence cancéreuse ou cancéreuses. Cet examen est pratiqué par les généralistes, les gynécologues ou dans un centre de dépistage (où il est gratuit). Sinon c'est un peu plus de 100 F, remboursé par la S.S.

Le *frottis vaginal* a permis de mener dans certains pays des opérations de dépistage de masse (Canada, Finlande, Suède, Islande) du cancer du col utérin. En Finlande où un tel programme existe depuis 1964, le taux de mortalité de ces cancers a baissé depuis 1974 de 54 %. Son efficacité serait plus liée au nombre de femmes examinées qu'à la fréquence des frottis pour une seule femme.

b) limites : L'article de « La Recherche » (*), d'où je tire ces informations, dit que « mêmes interprétés par des cytologistes entraînés, les frottis comportent des résultats faux positifs et faux négatifs conduisant pour les premiers à des interventions abusives et pour les seconds à une perte de temps dans le meilleur des cas ». On aura compris que le faux positif est un test indiquant un cancer inexistant, et un faux négatif, un test indiquant un état de bonne santé qui s'avère en fait un état de cancer. Cet article est cependant avare de chiffres en ce qui concerne le nombre de ces faux respectifs. A ce risque d'erreurs s'ajoutent les préventions indiquées dans l'introduction. D'autres tests s'avèrent donc nécessaires...

2. Autres examens cytologiques

Dans le domaine du dépistage, le frottis et l'endoscopie ont fait la preuve d'une certaine efficacité. On a étendu en France et dans certains pays ce type d'examen à des « sujets à haut risque » dans les cancers des bronches (gros fumeurs), de l'oesophage et de la vessie. Mais on en est encore au stade de la recherche et de l'expérimentation.

3. L'endoscopie

La prévention des cancers du colon-rectum, qui sont la principale cause de mortalité par cancer, passe par le dépistage précoce des polypes et leur résection systématique.

Pour détecter la présence de polypes, malins ou non, il existe actuellement deux moyens, l'hémoccult et l'endoscopie.

L'*hémoccult* permet de déceler la présence de sang dans les

(*) N° 126, octobre 1981, article de Catherine Sceautre.

selles. Ce test, simple — on l'effectue soi-même — et bon marché, ne peut poser le diagnostic du cancer. L'endoscopie et/ou une radiographie précisent le diagnostic.

L'*endoscopie* est l'examen du rectum à l'aide d'un tube rigide (rectoscopie) qui permet la vision directe de toute anomalie. Cet examen est utilisé depuis 1948 par le centre de détection du cancer de l'Université de Minnesota. L'ablation des polypes ainsi détectés a permis de prévenir 85 % des cancers rectaux. Du fait de sa rigidité, source d'inconfort pour le patient..., le tube rigide ne permettait qu'une exploration de 20 cm à partir de l'anus. Le fibroscope, instrument souple en fibre de verre de longueur variable permet d'aller jusqu'au caecum. Mais c'est aussi désagréable et l'endoscopie n'est pas utilisée systématiquement.

Le *spéculum* permet une vision directe du col de l'utérus.

4. Le profil protéique

a) Identité : Il s'agit d'un dosage de protéines plasmatiques, analyse qui a bénéficié des progrès de l'immunologie de ces vingt dernières années et de l'informatique. On utilise depuis les années 70 le concept de « profil protéique », qui comporte l'analyse d'un minimum de huit protéines choisies en fonction de l'état du malade. L'analyse finale doit se faire d'une façon globale, en tenant compte de la physiopathologie des diverses protéines incluses dans le profil.

b) La technique : S'appelle l'immunonéphélométrie en flux continu. En présence d'un excès d'anticorps spécifiques, il se forme un complexe entre l'antigène (la protéine à doser) et l'anticorps, complexe dont la quantité est proportionnelle à la concentration d'antigène. Ces dosages peuvent être effectués sur tous les liquides biologiques : sérum, urines, ponctions articulaires...

Les protéines utilisées depuis 1972 sont au nombre de huit : immunoglobulines G.A.M. la fraction C3 du complément, l' 1, glycoprotéine, l'haptoglobuline (Hap), la transferrine (Trf) et l'albumine (Alb), mais il existe aujourd'hui une trentaine de déterminations protéiques.

Où s'adresser : Université

René Descartes-Paris Ouest, Laboratoire de biochimie, Hôpital Ambroise-Paré, 9, av. Charles-de Gaulle, 92100 Boulogne.

5. Rapport orosomucoïde sur préalbumine

C'est l'analyse du rapport entre deux protéines dont les taux sériques subissent des variations inverses lors de cancers en phase perceptible. Ces deux protéines sont l'orosomucoïde, de la classe des protéines inflammatoires, et la préalbumine, protéine nutritionnelle de grande sensibilité. Le R.O.P. a été expérimenté sur 132 cancéreux, avec un groupe témoin de 63 personnes. Au cours de l'évolution de la maladie, le R.O.P. est plus fiable que la vitesse de sédimentation, et apporte, au début de la maladie, un élément de pronostic non négligeable.

Où s'adresser : Centre A. Lacassagne, 36, voie Romaine, F-06504 Nice Cedex.

6. Autres diagnostics immunologiques

La recherche (en Angleterre notamment) s'oriente actuellement vers la production de clones à partir de la fusion de lymphocytes producteurs d'anticorps et des cellules tumorales. Ces clones sécrètent un anticorps qui reconnaît un antigène associé au cancer. Ces recherches sont encore au stade expérimental. Lorsqu'on connaît la méthode du Dr Villequez (voir ci-dessous) rejetée par la science médicale française, on ne peut qu'être frappé par la ressemblance de cette démarche avec celle du « profil protéique ».

B. Le diagnostic côté jardin

1. La méthode Villequez

Ce moyen de dépistage a été mis au point par le Dr Villequez à partir de 1951. Celui-ci est alors directeur du Centre de transfusion sanguine de Dijon et professeur chargé du cours de médecine expérimentale à Dijon. Il affirme avoir mis au point une « technique simple et précise d'une réaction antigène-anticorps » qui permet « un diagnostic précoce de six mois à un an avant les signes cliniques ».

En septembre 1979, sa méthode aurait été utilisée en Suisse, Belgique, France où plus de 20 000 réactions auraient prouvé l'efficacité de la méthode. Cette technique aurait été aussi adoptée en Amérique latine. Aujourd'hui, un seul laboratoire, situé en Belgique, ferait cet examen.

Un livre de Charles Garreau « Le dossier noir du cancer » (Éd. Alain Lefeuvre, 1980) relate cette affaire. Coll. « J'accuse... ».

2. La cancérométrie de Vernes-Augusti

L'inventeur d'une thérapie par les métaux (voir Métaux de Vernes) a mis au point la cancérométrie, qui est combinée avec le test Heitan-Lagarde, le test le plus pratiqué actuellement par les médecins de terrain. Il permet de dépister les cancers avant l'apparition des signes cliniques, de suivre avec une certaine précision leur évolution, de connaître l'état immunitaire du malade et d'évaluer l'action des thérapeutiques utilisées. Tous les cancers sont concernés, sauf les cancers hormonodépendants (seins, thyroïde, ovaires, utérus, prostate...).

Il consiste à étudier différentes protéines du sérum du sang soumises à une dizaine de réactions. Les mesures sont prises à l'aide d'un photomètre, appareil permettant d'établir le degré d'opacité d'un liquide.

Un autre test, la fiche « réticulo-endothéliale » de Sandor et Vergues est souvent associé à la cancérométrie.

Limites : La cancérométrie est inopérante en cas de cancers hormonodépendants, et peu fiable en cas d'affections inflammatoires aiguës ou chroniques. Elle peut aussi être muette dans le cas d'un cancer non évolutif. L'interprète du texte doit être assez expérimenté pour pouvoir éliminer un certain nombre de faux positifs ou de faux négatifs.

Où s'adresser : Le test (500 F) est remboursé par la S.S. Plusieurs laboratoires en France pratiquent ce test. S'adresser à la Société Internationale de Cancérométrie, 2 ter, av. de Ségur, 75007 Paris.

3. Le test d'Heitan-Lagarde

Inventé par le Dr Heitan, ce test, appelé « micro-photo-colorhémo-test », a été perfectionné par le Dr Lagarde. Pour celui-ci, il permet de cerner avec une bonne précision et très rapidement le stade de la maladie et devrait être un examen aussi couramment utilisé qu'une vulgaire « prise de tension » tant par le cancérologue que par le généraliste.

Ce test est en effet d'une grande simplicité : il consiste à étudier une goutte de sang prélevée à un doigt et mise à sécher sans préparation sur une lame de verre, au moyen d'un microscope à contraste de phase, puis à photographier cette observation afin de comparer certaines colorations.

Si le sang normal présente une architecture régulière et bien définie, les sangs pathologiques, cancéreux en particulier, présentent eux une série d'anomalies bien classifiées (K O sang normal à K 4 sang de cancer terminal).

Outre un diagnostic du stade de la maladie, ce test permet d'établir un pronostic et il est un moyen de contrôle de l'évolution de la maladie et de l'action des traitements.

Sa fiabilité est dépendante de la technique de prélèvement et de la capacité du lecteur. Lire *« Ce qu'on vous cache sur le cancer »* du Dr Philippe Lagarde.

Où s'adresser : Centre Biologique Henri-Heitan, 9, avenue Thiers, 06500 Menton (le test n'est pas remboursé, 200 F).

A ce stade préclinique, la spectographie d'Arsonval, la cristallisation sensible sont évidemment des tests utilisés.

Nous sommes dans la zone rouge où il faut faire vite. Ici, tous les tests « côté jardin » restent valables. Il s'y rajoute la panoplie de la médecine hospitalière. Celle-ci recommande paradoxalement une technique manuelle pour la forme de cancer la plus facilement palpable...

IV. Le diagnostic au stade clinique

1. La palpation des seins

Que faut-il penser de la palpation des seins ? D'abord qu'il ne s'agit en aucun cas d'un dépistage qui intervient au stade préclinique ! Le kyste, s'il est malin, a déjà une bonne taille pour pouvoir être décelé. Il s'agit donc d'un dépistage qui intervient bien tard. La palpation se justifie-t-elle de ce fait ?

L'attitude de l'American Cancer Society (A.C.S.) devrait faire réfléchir les propagandistes de l'autopalpation des seins : celle-ci n'est pas recommandée par l'A.C.S., car sa valeur reste à démontrer par une étude sérieuse. De plus, il y a un risque, celui de faire naître une psychose du cancer chez la femme (toujours d'après l'A.C.S.).

2. L'échographie

Il s'agit de l'exploration d'un organe (sein, utérus, foie, rein, pancréas) ou d'une partie du corps à l'aide d'ultrasons d'une fréquence supérieure à celle des sons audibles. Ils paraissent sans danger pour l'adulte. Il n'est pas démontré par contre que le procédé soit sans danger pour le fœtus...

L'échographie est très utilisée en gynécologie et en obstétrique et donne aussi de bonnes images d'autres organes abdominaux. Dans l'avenir, on pense employer des sondes internes (œsophage, rectum). Au niveau du sein, l'échographie classique est décevante et les milieux officiels opposent une résistance injustifiée à l'introduction et à l'emploi d'une technique couramment employée aux États-Unis, *« l'échographie mammaire en immersion »*. A l'heure actuelle, les quelques défenseurs de cette méthode sont en butte aux tracasseries de la S.S., qui a récemment causé la fermeture d'un tel centre dans le sud de la France.

Ce serait pourtant une technique non traumatisante et non irradiante, sans risque.

3. La thermographie

Au niveau du sein, cet examen peut se faire en cas de doute. Il s'agit d'une détection des rayons infrarouges de la peau, où les différences de chaleur peuvent être significatives. Les zones cancéreuses seraient plus chaudes que les zones normales, mais la difficulté vient de ce que tous les cancers ne sont pas « chauds ». De nouvelles techniques expérimentales sont à l'étude.

Une autre utilisation de la thermographie est l'*angiothermographie*, qui consiste à repérer la déformation des vaisseaux sanguins. Il a été découvert qu'une tumeur maligne, même minuscule, entraîne, par la sécrétion d'une hormone, la formation et le développement de vaisseaux sanguins qui diffèrent alors des autres. Examen indolore.

4. La radiographie

Les « rayons X » ont été découverts en 1895 par Roentgen. Ce sont des rayons analogues à ceux de la lumière, mais de longueur d'onde plus élevée. Une plaque photographique placée derrière un corps soumis à une source de rayons X recueille une image (en négatif) qui traduit les différentes densités du corps. C'est la radiographie.

Celle-ci s'est améliorée au fil des années, car les tissus mous étaient trop foncés sur la radio (les tissus durs, plus clairs, sont bien visibles). On opacifiait ainsi certains organes en les remplissant d'un produit opaque aux Rayons X. La tolérance de ces produits ingérés ou injectés dans l'organisme n'était pas parfaite (allergies). L'*encéphalographie gazeuse* (insufflation d'un gaz) était même extrêmement dangereuse, et on ne compte pas les « accidents » mortels dus à ce procédé chez des personnes qui allaient à l'hôpital pour une migraine...

La radiographie est utilisée pour dépister les cancers du poumon, mais en dehors des groupes à risque, elle n'est plus systématiquement utilisée. Elle est aussi utilisée pour dépister le cancer du sein : c'est la mammographie.

La *mammographie* a déjà soulevé bien des passions du fait du risque, faible mais réel, de l'irradiation. Elle est préconisée par certains, car elle permet de déceler les tumeurs inférieures à 1 cm. Les appareils les plus modernes sont moins nocifs. Mais là encore, l'attitude de l'American Cancer Society est empreinte d'une grande prudence en recommandant cet examen seulement chez la femme de plus de 50 ans (examen annuel) et un examen clinique annuel entre 40 et 50 ans. (Voir *Échographie*).

Enfin vint le *scanner* ! Première mesure prise par le gouvernement Ralite : inonder la France de scanners, dont un seul exemplaire revient à la bagatelle de 8 millions de francs. 90 centres disposent aujourd'hui d'un tel appareil.

Le scanner constitue certes un progrès dans le domaine de la radiographie. Couplée à un ordinateur, la source de rayons X envoie de très fins faisceaux qui coupent littéralement l'organisme en tranches. Sur un écran apparaît une vraie coupe anatomique, en relief, un véritable régal pour le radiologue.

Le patient, lui, reçoit seulement l'équivalent d'une dose en rads comparable à une seule radiographie. Mais le hic, c'est qu'il s'agit toujours d'une radiographie, avec les difficultés que cela implique au niveau des tissus mous, dont les différents organes superposés ne peuvent pas être distingués dans le détail. De plus, les examens ne sont demandés qu'après l'apparition de signes cliniques. Ils permettent au moins d'éviter des examens radiologiques dangereux, particulièrement au niveau du crâne (encéphalographie gazeuse, artériographie cérébrale).

5. La tomographie à résonance magnétique nucléaire

Le R.M.N., encore inconnu du public à l'heure où j'écris ces lignes, sera certainement bien accueilli par les Français grâce à ce puissant groupe de pression qui a déjà imposé le scanner. Pourtant, le R.M.N., complémentaire du scanner, car privilégiant lui les tissus mous, n'arrive pas plus que le scanner à descendre bien en dessous de la barre du stade cellullaire pré-clinique de 10^9 cellules. L'examen est généralement fait au stade clinique.

Le R.M.N. est un énorme aimant de 25 tonnes en forme de tube de 2 mètres de long et de 55 cm de diamètre dans lequel le patient est introduit et soumis au champ magnétique. Celui-ci agit sur les atomes d'hydrogène du corps qui, comme autant de petits aimants, s'orientent dans le sens imposé par le champ magnétique. On arrête celui-ci et les protons de l'atome d'hydrogène d'un tissu sain et d'un tissu malade ne reviennent pas à leur état de stabilité dans le même temps. Ces différences sont enregistrées comme autant de signaux (ondes radio) et reproduites sur un écran.

Le R.M.N. est un progrès incontestable. Il permet de mieux différencier les tissus mous, en particulier de faire la distinction entre la substance blanche et grise du cerveau. Il permet aussi de suivre les tumeurs osseuses, de voir si elles envahissent ou non le muscle. Le chimiothérapeute et le chirurgien ont un instrument qui leur permet de mieux agir, de mieux suivre leurs traitements et de les coordonner.

Les effets secondaires ne sont pas encore connus et il reste à démontrer que les champs magnétiques à haute fréquence sont sans danger pour l'homme... On prend tout de même la précaution d'écarter les femmes enceintes et les porteurs d'éléments métalliques intra-corporels (prothèses). Du fait de l'immobilisation d'une heure dans un tunnel néanmoins ouvert aux extrémités, sont aussi écartés les enfants et les personnes agitées ou perturbées.

Son prix fait mal... à notre portefeuille : de 8 à 16 millions de francs et les frais de fonctionnement sont élevés.

Où s'adresser : Paris, hôpital des Quinze-Vingts et hôpital du Kremlin-Bicêtre. En province, Marseille et Strasbourg dans un premier temps.

6. La biopsie

J'ai gardé pour la fin le moyen de diagnostic le plus fiable mais aussi le plus controversé. La biopsie est un acte chirurgical qui consiste à prélever tout ou une partie d'une lésion ou d'un kyste suspects et à soumettre ce fragment de tissu à l'examen microscopique. Il peut alors s'avérer que l'on diagnostique un *fibrome,* tumeur bénigne du tissu conjonctif sous-cutané à évolution très localisée ou un *fibro-sarcome,* une tumeur maligne susceptible de métastases. Dans le permier cas, une simple excision chirurgicale suffit, dans l'autre l'ablation n'est que le début des traitements du cancer. Pour certains thérapeutes, la biopsie est une panacée, pour les thérapeutes « côté jardin », il s'agit d'être plus prudent. Le risque est grand en effet de propagation dans le corps des cellules cancéreuses ainsi dérangées. (Voir *Chirurgie*).

Conclusion

Voilà un tour d'horizon des tests de dépistage et de diagnostic qui, répétons-le, ne sont pas spécifiques du cancer, les officiels comme les autres. Ce tour n'a pas la prétention d'être complet, et je n'ai, par exemple, pas parlé des examens biologiques non sanguins courants qui peuvent avoir leur utilité.

A part les réserves faites envers l'une ou l'autre technique, elles ont certainement toutes leur raison d'être, à condition d'être bien employées au bon moment. On ne peut que s'étonner du manichéisme de la médecine hospitalo-universitaire. Elle donne la préférence aux moyens de diagnostic les plus coûteux, alors qu'elle ne prend pas en compte des moyens de dépistage et de diagnostic tout aussi efficaces et meilleur marché.

Thérapies

L'alimentation côté cour

1. Les recherches

La diététique, avec l'approche du psychique, est la grande absente de nos hôpitaux. Et elle consistait, dernièrement encore, à quantifier protides, lipides et glucides dans des proportions équilibrées. En France, l'alimentation est un domaine tabou, tandis que dans les pays anglo-saxons elle a été l'objet, ces dernières années, de recherches et même d'actions publiques de grande envergure.

a) fibres végétales et constipation : Le rôle des fibres végétales a été étudié en Angleterre et aux États-Unis. Un chercheur anglais a démontré la haute fréquence de *cancers de l'intestin et du colon* chez les personnes consommant peu de fibres végétales. Nous lui devons la mode du pain au son — mal qui en remplace un autre s'il n'est pas biologique et fait au levain avec de la farine plus ou moins complète moulue à l'ancienne. Deux chercheurs de l'Université de Californie ont trouvé que ce manque de fibres végétales dans l'alimentation, responsable de constipation, induit l'apparition de *cancers du sein*. L'étude porte sur 1 481 femmes de tous âges. 25 % des femmes constipées présentaient des dysplasies, cellules anormales dans le sein, alors que seulement 5 % de celles qui allaient à la selle une fois par jour étaient atteintes. Ces auteurs pensent que la fermentation bactérienne dans le colon transforme certaines substances alimentaires (stérols et acides gras) en substances cancérigènes qui passent dans le sang.

b) initiateurs et promoteurs : Le cancérologue Colin Campbell, de l'Université Cornell, U.S.A., a trouvé que 35 % des cancers sont peut-être la conséquence d'une alimentation défectueuse, et qu'une alimentation appropriée peut empêcher ou retarder considérablement l'évolution des tumeurs. Le cancer est provoqué par deux groupes de facteurs principaux, les initiateurs (cancérigènes chimiques...) et les promoteurs : aliments, troubles du métabolisme, hormones, stress et certaines infections. Jusqu'à présent, on croyait que c'étaient les initiateurs qui étaient à l'origine du cancer alors que les promoteurs en sont le facteur déclenchant.

Selon Campbell, « la plupart des cancers sont liés à l'alimentation, en particulier le cancer du *sein*, du *colon*, du *pancréas*, de la *prostate*, de *l'estomac* et du *foie*, ainsi que quelques cancers de la *peau* ». Chez les sujets fumeurs, qui ont une alimentation équilibrée, les risques de cancer sont diminués... Mais ne blanchissons pas l'initiateur qu'est le tabac.

c) le rôle protecteur des vitamines : De nombreuses études ont mis en évidence le rôle essentiel des vitamines, ces substances qui sont des aliments du métabolisme. Le rôle protecteur de la *béta carotène*, la fameuse provitamine A, a été démontré par de nombreux chercheurs. Divers travaux sur les animaux ont montré que les *vitamines C et E* empêchent la formation des nitrosamines dans l'estomac à partir des nitrates de l'eau et des produits de la terre. Les nitrates, sous-produits de l'agriculture chimique, ont la fâcheuse propriété de se transformer en nitrosamines dans l'estomac, lesquels seraient responsables de cancers de l'œsophage, de la vessie, de l'estomac et peut-être de l'intestin.

Linus Pauling, deux fois prix Nobel (chimie et paix) et le chirurgien Ewan Cameron, de l'hôpital Vale of Leven en Écosse, donnent à la vitamine C une place prépondérante, tant dans la prévention que dans le traitement du cancer. Celle-ci serait un puissant stimulant du système immunitaire : elle fait partie intégrante de l'immunothérapie (voir *Immunothérapies*). Malgré leur célébrité dans le monde entier, il ne semble pas qu'on suive ces auteurs en France, et c'est tout récemment que les autorités américaines ont engagé une action en ce sens.

Pour être le plus complet possible, il faut aussi parler des travaux sur la vitamine E, qui ont montré qu'elle pouvait, en culture, stopper la croissance de cellules cancéreuses.

d) bêta-carotène et légumes verts : A partir de 1968, le Pr. Hiriyama a entrepris une vaste étude épidémiologique portant sur 265 000 personnes de plus de 40 ans. Cette étude japonaise, qui a duré 13 ans, a démontré que la consommation de légumes verts (carottes, épinards, potiron, asperges, salades) protège du cancer. On ne possède pas d'explication scientifique de leur action, certains pensent que leur teneur en bêta-carotène (qui donne la vitamine A), en vitamine C ou en fibres pour faciliter le transit intestinal, n'est pas étrangère à cet effet bénéfique.

e) métaux et minéraux : La recherche et la clinique officielles donnent plus d'importance aujourd'hui à certaines carences en métaux (fer, magnésium, cuivre) ou minéraux. Il revient aux thérapeutes rejetés d'avoir, depuis de longues années, ouvert la voie et jeté la base de thérapeutiques sérieuses.

2. Actions des autorités

On a assisté ces dernières années à un revirement complet de la politique américaine contre le cancer. Après un constat d'échec de la « guerre déclarée contre le cancer » (fait encore par Nixon lui-même), les autorités ont mis l'accent sur la prévention, où les vitamines et l'alimentation tiennent la place essentielle.

L'Institut National contre le Cancer, le puissant I.N.C., a lancé un vaste programme de recherches suivant trois axes : tester le pouvoir de protection contre le cancer de la bêta-carotène, des vitamines A, E, C et du sélénium chez les personnes à hauts risques, tester ces mêmes substances sur une population en bonne santé, enfin tenter de rendre réversibles certains états considérés comme précancéreux, par exemple la dysplasie du col de l'utérus, les préleucémies (lésions de la moelle osseuse) ou les polypes intestinaux.

L'un de ces projets, mis en route en 1982, concernait 20 000 médecins de sexe masculin, de 40 à 75 ans, qui sont examinés tous les six mois.

L'American Cancer Society, autre grande instance officielle, lance une enquête épidémiologique portant sur un million de personnes. Interrogées 4 fois par an par quelques 85 000 volontaires, leur mode de vie, leur alimentation sont passés au crible.

Autre organisme de recherche, le Ludwig Institut for Cancer Research de Toronto fait une étude sur les patients de 70 ans atteints de polypes intestinaux (catégorie qui représente 50 % des Américains de cet âge). Une fois les polypes enlevés à certains d'entre eux, on leur donne de la vitamine A et E et on les met en observation.

En attendant les résultats de ces recherches, l'Académie des Sciences a recommandé une alimentation de fruits et légumes riches en bêta-carotène et en vitamine C.

Au Japon, les autorités ont lancé une grande campagne d'information pour inciter les gens à manger davantage de légumes verts.

L'alimentation côté jardin

1. Identité

Les régimes — ils dépassent la quarantaine — ont toujours été le point fort des traitements non conventionnels, au point de constituer LA thérapeutique du cancer pour certains d'entre eux. Beaucoup ont d'ailleurs été mis au point par des malades qui se sont guéris ainsi. Certains font partie d'une vision du monde ou d'une philosophie personnelle. On n'est donc pas étonné du caractère souvent sectaire de ces régimes, qui doivent être suivis à la lettre.

Ce travers, et leur multiplicité, amène le malade à ne plus savoir quelle voie suivre. Et à supposer qu'il s'est enfin décidé pour tel ou tel régime, il n'est pas sûr que le stress imposé par ce changement touchant au plus profond de son être et de sa culture, n'ait pas de conséquences plus nocives que le bienfait retiré.

Cela étant, certains de ces régimes, à condition qu'ils soient pratiqués à bon escient et limités dans le temps, ont des effets bénéfiques. De plus, ils soulignent un important fait de notre civilisation : la suralimentation. Tous ont en effet en commun d'être amaigrissants, pauvres en protéines d'origine animale, et pauvres en calories. Et un grand nombre de thérapeutes s'accordent aujourd'hui pour conseiller une alimentation équilibrée, pauvre en calories, en viandes, riche en œufs, yaourts.

2. Action

Comment expliquer certains cas de guérisons ou d'inhibitions de tumeurs du fait d'un régime (diète ou jeûne) ? La suppression des protéines d'origine animale trouve sa justification dans le fait statistique qu'on trouve les plus forts taux de cancer chez les individus gros mangeurs de viande. Il suffit de mettre en corrélation la courbe des cancers avec celle de la consommation de la viande pour s'apercevoir qu'elles suivent la même ligne ascensionnelle. Certains naturopathes soutiennent que l'homme n'a pas les capacités de digérer, donc d'assimiler les protéines animales, qui se transforment en toxines dans notre corps.

L'extrême pauvreté calorique se justifie, elle, par une argumentation cellulaire. Les cellules cancérigènes se nourriraient de sucres rapides et auraient de toute façon des besoins en substances nutritives plus grands que les cellules normales. Réduire calories et quantité, c'est couper la source de la croissance tumorale, mais attention à l'autolyse, une fois les réserves disparues.

3. Indications

Les thérapeutes de terrain les plus crédibles (lire le livre de Rueff, notamment) sont très prudents. On peut grossièrement résumer leur démarche en plusieurs points :

a) Réduire la QUANTITÉ ne peut en aucun cas faire de mal dans notre société de « grosse bouffe ». Ne pas surcharger notre organisme lui permet de mobiliser ses forces dans la défense immunitaire, laquelle joue un grand rôle dans la lutte pour la guérison. Les émonctoires, souvent en hypofonctionnement chez les cancéreux, doivent supporter le choc des thérapies dures souvent nécessaires, raison supplémentaire de faciliter leur tâche.

b) Retrouver la QUALITÉ : notre société industrielle, par la production de masse mal conçue, a tout misé sur la quantité. Engrais chimiques, pesticides, insecticides détruisent la terre et aussi l'aliment dans sa teneur en sels minéraux, dans son goût (en étant obnubilé par sa forme). De plus pesticides et insecticides s'y retrouvent et sont dangereux, même à l'état de traces. L'industrialisation des produits — le secteur agro-alimentaire — continue sur la lancée en raffinant par exemple céréales et sucres, en faisant subir aux aliments différents traitements de conservation. On utilise même la radioactivité pour inhiber la germination des pommes de terre. On ne connaît pas les effets de la congélation, sans parler de la destruction des vitamines dans les conserves). Cette nourriture carencée joue certainement un rôle dans beaucoup de maladies dites de « civilisation ».

Les recherches de l'Anglais Burkitt sur le lymphome des enfants africains ont mis l'accent sur ce rapport entre l'alimentation riche en résidus fibreux de l'Africain rural et pauvre en fibres végétales de l'Africain urbanisé qui a adopté les coutumes alimentaires occidentales. Mais réintroduire du son dans du pain blanc ne suffit pas : il faut savoir que pesticides et insecticides se mettent dans le son...

Pourquoi ne pas produire des céréales par des méthodes dites biologiques, du moins sans engrais chimiques ni produits de synthèse ? Cela est parfaitement possible et viable économiquement à long terme pour le paysan et permet d'éviter de nombreuses victimes. Dans une dizaine d'années, si la destruction de la nature continue, l'Europe risque de devenir un désert. Pluies acides, eau de plus en plus nitratée sont des sonnettes alarmantes.

Pour en revenir à l'alimentation, qui est le trait d'union matériel entre la nature et l'homme et un apport d'énergie vivante, il est important de lui retrouver ce caractère sacré. Réapprendre à savourer un produit de la nature et de saison, c'est aussi renouer avec le rythme profond de la nature et avec nos propres rythmes, dont notre civilisation, dans son orgueil, nie l'existence.

Vivre en accord avec soi-même et la nature réintroduit une notion oubliée dans les cantines et les fast-foods, celle du plaisir le plus élémentaire.

c) rééquilibrer la quantité : Le Français moyen mange 50 à 60 % de produits d'origine animale, 20 à 30 % de produits végétaux, 10 à 20 % de produits céréaliers. Cancéreux ou pas, il faut rééquilibrer ces proportions, c'est-à-dire passer *à 15-30 %*, selon les écoles, *les aliments azotés* (protides), produits et sous-produits animaux : viande, poisson, coquillages, fromages, *à 15-30 % les céréales et dérivés* (glucides ou hydrates de carbone) : pain, pâtes, riz, semoule, flocons, tous produits avec des céréales brutes, biologiques et complètes et à *30-60 % les fruits et légumes* en limitant les farineux. L'hygiéniste André Passebecq à la suite de Thomson est partisan d'une ration de 50-60 % de ces aliments alcalinisants dans l'alimentation quotidienne, soit 20 % de feuilles vertes de salades de saisons, frais, crus en salade et en jardinière, 20 % de légumes (racines) cuits et 20 % de fruits bien mûrs ou de fruits secs trempés. Reste à ingérer *5 % de graisses* (lipides) trouvées dans les huiles, beurre, fruits oléagineux.

d) rééquilibrer l'ensemble glucidique : Le carburant de la cellule cancéreuse est le sucre, en restreindre sa consommation dans nos sociétés éminemment sucrées (la civilisation du coca-cola...) jouera donc sur son métabolisme. Le sucre le plus consommé est la saccharose, un sucre rapide qui provoque une demi-heure après son absorption une hyperglycémie suivie d'une hypoglycémie qui se manifeste par le coup de barre de 11 h, des crampes d'estomac, des troubles voisins de la spasmophilie, lesquels constituent un véritable « stress hyper-hypoglycémique » agressant le pancréas (risque de diabète). Le sucre « lent », plus sain, on le trouve dans les fruits, dans le miel, également dans les farineux (céréales, pommes de terre, légumes-racines). Ces aliments sont transformés au cours de la digestion en sucres, après avoir subi une première digestion dans la bouche sous l'effet de la salive, qui les transforme en dextrine (genre de sucre). Des intestins le sucre est conduit au foie, qui le transforme en glycogène, le stocke sous cette forme ou l'envoie dans les muscles comme carburant de l'effort ou comme régulateur de la température du corps (voir *Hyperthermie-oxygénothérapie*). Une trop grande quantité de sucre non utilisé se transforme en graisses...

e) rééquilibration des lipides : Elle continue sur la lancée de la rééquilibration quantitative, dans le sens d'une réduction des protides d'origine animale. Viande, charcuterie, et sous-produits animaux, beurre, fromage, contiennent des *graisses saturées* qui se combinent mal avec l'oxygène.

Jacquier, qui a étudié tous les transporteurs d'oxygène du sang, a aussi mis l'accent sur le rôle bénéfique des *acides gras insaturés* dans le métabolisme énergétique. Ceux-ci, en présence d'oxygène, et surtout des oxoniums (voir *Chimiothérapie atoxique*), deviendraient des dérivés tétravalents de peroxydes ; peroxydes qui jouent également un rôle important dans la thérapeutique de Solomidès (voir *Chimiothérapie douce*). Des travaux de plus en plus nombreux, surtout outre-Chanel et outre-Atlantique, mettent l'accent sur ce rôle essentiel des acides gras insaturés dans l'autre métabolisme, celui des substances nécessaires à la vie (voir *Phytothérapie-primevère du soir*).

Ces acides insaturés se trouvent dans les huiles végétales : graisses de fruits oléagineux (noix, noisettes, amandes, pignons, pistaches, olives, noix de coco), les graisses des légumineuses (soja, arachides, pois), et dans les céréales.

Attention à la qualité de l'huile : les traitements industriels oxydent la meilleure huile végétale, il est donc conseillé d'utiliser de l'huile de première pression à froid, qui ne doit pas être chauffée. Les fritures sont d'ailleurs déconseillées.

f) ne pas intoxiquer l'organisme : Éliminer, dans la mesure du possible, les produits tels que café, cacao, thé, alcool, vitamine B 12 (le Dr Lagarde proscrit cette vitamine, qui active la multiplication cellulaire). Éviter les *floculants* : sel, alcools, tannins, et les *antioxygènes* (qui se trouvent dans beaucoup de conserves) d'après la théorie de Jacquier (voir *Chimiothérapie atoxique*). Dans certains cas, supprimer la viande et ses sous-produits qui surchargent l'organisme (acide urique et purine). Il est d'ailleurs possible de supprimer la viande tout en conservant le bon équilibre de la ration alimentaire. Il faut la remplacer par des protides d'origine végétale (soja, légumineuses, céréales complètes), par des œufs, de la gélatine, du poisson. Les produits laitiers ne sont pas conseillés par tous les diététiciens hygiénistes, suivez votre instinct... Ces protéines sont des protecteurs colloïdaux (voir *Chimiothérapie atoxique*).

g) veillez à ingérer biocatalyseurs et oligo-éléments : Normalement, si vous mangez *« bio »*, dans la mesure du possible *cru* et *frais* (aliments de saison), si vous respectez un bon *équilibre* alimentaire, vous trouvez beaucoup de vitamines, de sels minéraux et oligo-éléments dans votre assiette. Dans une visée thérapeutique, il est important de savoir qu'un certain nombre d'aliments contiennent de ces éléments vitaux : crudités ; jus de fruits (frais) de cassis, myrtille, raisin, pomme, citron, orange ou légumes ; carottes, betteraves rouges ; céréales complètes, céréales germées ; levures ; produits de la ruche ; huiles végétales. On y trouve vitamines A et C notamment, acide phosphorique, cobalt, fer, magnésium, cuivre, iode, zinc, diastases (dans le cru), etc.

h) buvez beaucoup d'eau : Notre corps est composé de 2/3 d'eau. On en trouve une bonne partie dans les fruits et légumes, mais cela ne suffit pas. D'après Lagarde, il faudrait boire 2,5 l d'eau par jour entre les repas. Cette eau doit être peu minéralisée. Se méfier des eaux minérales, même « diététiques », « médicales » ou « curatives », car celles-ci doivent leurs vertus à leur surcharge en tel ou tel minéral lorsqu'elles sont bues directement à la source. Mais l'embouteillage et le transport, leur stockage, « tuent » littéralement cette eau dont les minéraux deviennent autant de surcharges pour l'organisme.

Choisissez dans ces conditions les eaux les plus plates possibles si l'eau de votre robinet est imbuvable ou impropre à la consommation du fait de sa pollution physique, chimique ou bactériologique. Si cette dernière pollution est étroitement surveillée par les services d'hygiène, la qualité chimique l'est beaucoup moins et l'on boit aujourd'hui des eaux de plus en plus cancérigènes, hélas.

Conclusion

Ces conseils sont valables pour une alimentation de longue durée. Rien n'interdit de suivre pendant un temps limité tel ou tel régime que vous trouverez dans notre bibliographie. Un coup de fouet à l'organisme qui peut encore réagir n'est pas une mauvaise chose en soi, tout au contraire.

Mais il est important de ne pas faire de votre alimentation une RELIGION, stressante pour vous et pour toute votre famille. On peut très facilement garder les plats traditionnels bien de chez nous tout en les améliorant et en donnant plus de place aux crudités par exemple. Surtout pas de transformation radicale, mais une évolution en douceur. N'oubliez jamais que le repas fait partie de notre culture et que c'est un moment éminemment SOCIAL et PERSONNEL à la fois.

Biothérapies

I. La biothérapie gazeuse

1. Identité

La biothérapie gazeuse consiste en l'utilisation thérapeutique, préventive et curative, de substances de nature gazeuse (O_2, N_2, NH_3, CH_4, C_2N_2...) diluées et dynamisées, la dilution et la dynamisation étant réalisées en phase gazeuse.

C'est le Dr Roger Fix, médecin alsacien, qui a inventé cette nouvelle thérapeutique très voisine de l'homéopathie par la nature des médicaments utilisés. Mais au lieu d'être utilisés selon la loi de similitude définie par Hahnemann dans son « Organon », la biothérapie gazeuse est administrée selon la loi d'identité. Le thérapeute a ainsi mis au point un premier protocole de différents gaz qui, administrés successivement, stimulent les mécanismes vitaux essentiels, puis un deuxième protocole personnalisé en fonction du terrain du patient et de ses réactions.

Il s'agit donc d'une médecine de terrain, globale, qui a de bons résultats dans de nombreux troubles, en particulier dans le domaine de l'allergologie, de la neurologie et des affections neuro-psychiatriques, des rhumatismes et des maladies infectieuses de l'enfant... Pour le Dr Fix, la biothérapie gazeuse est la thérapie par excellence des maladies de civilisation caractérisées par l'affaiblissement, sinon la perte des défenses naturelles immunitaires, notamment le cancer où « il est souhaitable de l'appliquer sous contrôle de la cancérométrie de Vernes, afin de dépister un blocage des émonctoires, qui a souvent lieu dans les cancers en voie de généralisation ».

Le remède se présente sous la forme d'un flacon-dose, hermétiquement clos, à usage unique, et peut être administré par trois voies différentes : injection sous-cutanée, infiltration ou injection endo-rectale.

2. Action

La biothérapie gazeuse est fondée sur la loi d'identité qui énonce le principe général, expérimentalement démontré, de l'activité d'une substance à doses infinitésimales sur le métabolisme de cette substance à l'intérieur d'un organisme vivant.

Ainsi l'oxygène (O_2), l'hydrogène (H_2), l'azote (N_2), le gaz carbonique (CO_2), l'ammoniaque (NH_3), le méthane (CH_4), etc., à doses infinitésimales, agissent respectivement sur le métabolisme de l'oxygène, de l'hydrogène, de l'azote...

Ces substances qui sont des médicaments homéopathiques, jouent un rôle important dans les mécanismes intimes de la vie. Elles agissent :

a) au niveau des éléments constitutifs de la matière vivante avec l'oxygène, l'azote et l'hydrogène et de la biogénèse. Rappelons que le matériau de base de la vie, qui est un acide aminé, s'est constitué à partir d'un mélange gazeux de méthane (CH_4), d'ammoniaque (NH_3) et de vapeur d'eau soumis à une décharge électrique. Trois substances gazeuses constituent la matière vivante : l'hydrogène, l'oxygène, l'azote, et un solide, le carbone ;

b) au niveau des substances qui commandent les mécanismes physiologiques essentiels : régulation de l'équilibre acido-basique, régulation de la respiration et de la circulation avec le gaz carbonique et l'ammoniaque ;

c) au niveau de substances qui jouent un rôle essentiel dans la biosynthèse (oxydo-réduction, méthylation, animation et carboxylation) avec l'oxygène, le méthane, l'ammoniaque et le gaz carbonique.

3. Indications

« Dans l'état actuel des choses, nulle thérapie ne peut se targuer d'obtenir des résultats à elle seule en matière de cancer, dit le thérapeute : la meilleure médecine de terrain ne peut que stimuler les forces existantes à l'état latent. » D'où le recours aux thérapies classiques, et la combinaison des médecins « complémentaires ».

Tous les cancers sont donc

concernés, et les thérapeutes qui utilisent cette méthode constatent l'effet bénéfique de la biothérapie gazeuse, qui remet sur pied des personnes rétives à toute autre thérapie.

4. Effets secondaires

Le remède gazeux est très réactif : nausées, vertiges, palpitations, nervosité, insomnie, tendance dépressive. A la différence des médecines allopathiques, ces symptômes ne sont pas lésionnels et sont bien tolérés par l'organisme. Avant d'être des symptômes, ce sont des manifestations de guérison qui marquent le début de l'amélioration. Le thérapeute doit suivre attentivement ces réactions pour établir un protocole évolutif et personnalisé. En cas de cancers au dernier stade, il y a cependant eu quelques cas d'aggravations. Une manifestation très intéressante est l'apparition d'une fièvre plus ou moins forte. Pour le Dr Fix, l'hyperthermie, qu'il ne faut surtout pas chercher à réduire, est l'antichambre de la guérison (voir *Hyperthermie*).

5. Bibliographie

Fiches d'informations sur la biothérapie gazeuse et la brochure « La biothérapie gazeuse » du Dr Roger Fix, édités par la Société Internationale de Biothérapie Gazeuse (S.I.B.I.G.), 14, bd du Champ-de-Mars, 68000 Colmar.

Centriologie

1. Identité

Les chercheurs cancérologues ont toujours donné la priorité à l'étude de l'A.D.N. des chromosomes de la cellule, croyant que le caractère particulier de la cellule cancéreuse est le résultat d'une mutation chromosomique, dans les séquences de l'A.D.N. Il revient à un chercheur original, André Bourrée, un biologiste et un autodidacte, de mettre l'accent sur une autre partie de la cellule, le double-centriole ou diplosome, double cylindre bien structuré, constituant en quelque sorte les pôles énergétiques de la cellule, et qui jouent un rôle important au moment de la division de la cellule.

Pour le fondateur de la « centriologie » — il a écrit un manifeste en 1970 et un livre à La Vie Claire en 1971 — la cancérisation est presque toujours due à une *surcharge énergétique* du condensateur centriolaire, créateur d'un champ électromagnétique et d'un champ gravitationnel, moteur énergétique de la différenciation cellulaire.

Du fait de cette surcharge énergétique, nous assistons à un emballement de la mitose. « La cellule tumorale, même bénigne, atteint trop souvent son *seuil de réplication* : seuil énergétique imposé par l'enceinte cellulaire pléthorique en dérivés benzéniques, notamment en cholestérol, en combustibles glucidiques et lipidiques, carencés en magnésium. Enceinte devenue par ailleurs isolante par excès lipidiques et cage de Faraday par dépôt excessif de fer minéral, tout cela dans la membrane externe !

Dans cette conception, la transformation cancéreuse est donc quantitative et non qualitative. Inutile d'envisager un utopique bricolage chromosomique (chimiothérapie) pour arrêter le processus emballé : il faut viser à soulager le double centriole en surcharge énergétique classée en fréquence F pour les cellules normales, en F' pour les cellules des tumeurs bénignes et en F'' pour les cellules des cancers aigus.

2. Action

La surcharge énergétique du diplosome « emballé » de la cellule cancéreuse étant un phénomène multifactoriel, il est possible de faire régresser la maladie en s'attaquant à ses multiples causes, afin d'assurer l'écoulement de l'électron jusqu'à la production de CO_2 et H_2O, molécules qui sont au début et à la fin du cycle vital catalysées par l'énergie solaire.

a) action alimentaire : Diminution des glucides et des lipides avec augmentation des aliments de lest, riches en cellulose. Apport de vitamines naturelles et métaux par les crudités. Usage du sel marin complet riche en magnésium, qui soulage le centriole en facilitant son expression mécanique. Boire abondamment hors des repas. Élimination des cancérigènes connus dans le domaine alimentaire et se trouvant dans certaines fricasseries, grillades, préparations industrielles, additifs, boissons (amiante), tabac.

b) action sur l'environnement : Limiter les apports en photons (UV et X surtout). La radioactivité est catastrophique. Limiter les apports en électrons en marchant en contact avec le sol (semelles non isolantes). Certains environnements professionnels sont néfastes, ainsi que les orages et la pollution atmosphérique. Par contre, respirer suffisamment en faisant de la marche à pieds ou une musculation plus intense, selon le cas.

c) actions diverses : Mis à part le magnésium que l'on peut apporter abondamment (en solution de chlorure, 20 g par litre), il ne faudrait pas abuser des oligo-éléments métalliques minéraux qui, s'ils sont utiles à doses modérées et associés aux crudités qui les rendent assimilables, pourraient, de l'avis de M. Bourrée, concurrencer les atomes métalliques vitalisés des crudités. Le soutien des émonctoires peut se faire avec des tisanes. Prendre le moins possible de médicaments hormonaux, dérivés du benzène.

3. Indication

Selon son auteur, la méthode centriologique est capable d'une action préventive et plus ou moins curative contre la sclérose en plaques, le diabète sucré fonctionnel, les maladies cardiovasculaires de surcharge, les maladies auto-immunes et bien entendu les maladies cancéreuses.

Le cancer exprime un tel état d'intoxication, de saturation lipidique et électronique que la centriologie gagnerait à être appliquée dans un service hospitalier, dans une stratégie convergente, pour être d'une efficacité radicale. Elle permettrait ainsi de réduire les actions chirurgicales, radiothérapiques et chimiothérapiques et de les ramener à un seuil de faible toxicité.

Cette affirmation et ce souhait se heurtent cependant au blocage de la cancérologie clinique actuelle qui est « loin d'avoir l'ouverture d'esprit nécessaire, et aura du mal à sortir de sa barbarie méthodologique ».

4. Comité de défense de la centriologie

Devant ce blocage des autorités médicales, une association s'est formée après une conférence d'André Bourrée à Saint-Malo, le 30 janvier 1982. Celle-ci a pour but la promotion de la théorie de la commande de la cellule par le centriole, qui est susceptible de réaliser une certaine unité entre la biologie et la médecine. Elle demande une discussion publique et nationale par les moyens audiovisuels. Elle a édité un polycopié : « Comment vous préserver du cancer et de bien d'autres maladies par la centriologie », 150 p., 30 figures, 100 F (y compris frais d'envoi) à commander à ce comité, Le Moulin du Gué, 35400 Saint-Malo.

Chimiothérapies côté jardin

Chimiothérapie atoxique : le laurysulfate de soude

1. Identité

C'est un produit chimique que René Jacquier, inventeur du Bol d'Air, préconise comme adjuvant. Ce produit, introduit dans l'organisme, aurait le pouvoir de redisperser les déchets cancérigènes et de dissoudre la « pellicule résiduelle » qui entoure la cellule cancéreuse et qui fait barrage aux échanges extérieurs de la cellule.

En dispersant ainsi cette pellicule, il favorise l'action des agents anticancéreux et permet le fonctionnement normal du métabolisme.

2. Posologie

Le produit se prend par voie orale (à 15 % dans de l'eau), 50 gouttes par jour dans un peu de lait à jeun pendant un mois et demi par exemple, puis on diminue la dose. Par voie hypodermique ou voie cutanée (frictions). Se reporter aux livres « De l'atome à la vie » par René Jacquier et « Ce que l'on vous cache sur le cancer » du Dr Lagarde.

Chimiothérapie douce : les physiatrons synthétiques

1. Identité

Les physiatrons synthétiques constituent une chimiothérapie non toxique pour les cellules normales utilisant des huiles et des distillats d'huiles aux propriétés antibiotiques et antivirales. Ils sont composés d'un solvant et des physiatrons. Le solvant, un éther-oxyde d'alcool ricinoléique et de polyéthylène glycol (E.R.P.) est une substance complexe aux nombreuses propriétés, qui sert de véhicule aux physiatrons, une ou plusieurs substances capables de solubiliser ou de modifier les membranes lipidiques des cellules cancéreuses ou la pellicule les entourant. Il s'agit d'iode, de cuivre, de citral-uréthane, d'hormones, de peroxydases, d'iodure de potassium...

2. Action

Après de nombreuses années de recherches, le Dr Jean Solomidès, de l'Institut Pasteur, met au point à partir de 1947 l'E.R.P., solvant de nature colloïdale, substance complexe aux propriétés multiples non encore toutes élucidées et les différents physiatrons. Néanmoins, le Dr Solomidès et d'autres chercheurs ont mis en évidence un certain nombre de modes d'action :

a) action par peroxydation de la cellule cancéreuse par l'E.R.P. et une peroxydase. Le Dr Solomidès, comme Jacquier d'ailleurs, est un disciple du prix Nobel Warburg, qui avait mis en évidence le caractère anaérobie de la cellule cancéreuse, laquelle souffre donc d'un manque d'oxygène. Il a ainsi trouvé un moyen d'amener à cette cellule un catalyseur susceptible de déclencher une oxydation (peroxydase et E.R.P.) ou des peroxydes, substances prêtes à céder leur oxygène.

b) action par désintégration (proprement chimiothérapique) du produit qui se partage les rôles : le solvant véhicule les peroxydes toxiques jusqu'à la tumeur, et désintègre la pellicule résiduelle et les membranes des cellules cancéreuses (à la façon d'un détersif) pour y libérer les peroxydes ou les substances qui détruisent la cellule.

c) action immunologique : Les travaux du Dr vétérinaire Roger Bocquet ont montré que l'E.R.P. a une action répressive sur les lymphocytes B et une action stimulante sur les lymphocytes T (les macrophages) par l'intermédiaire de l'interferon. Le Dr Solomidès avait mis en valeur cette action stimulatrice des défenses naturelles de l'organisme.

d) action sur le Ph sanguin : Les P.S. ont le pouvoir d'abaisser le Ph du sang qui augmente toujours chez les cancéreux et les organismes vieillissants.

e) action antalgique certaine et constante qui permet d'échapper aux opiacés (60 % des cas).

f) action antivirale : Les P.S. sont très utilisés en pratique humaine ou vétérinaire contre les affections d'origine virale comme le zona, la maladie de Carré chez le chien ; certains eczémas s'en trouvent améliorés.

3. Indications et résultats

Malgré de nombreux cas de guérisons, ou d'améliorations, que l'on ne peut mettre en cause, les P.S. ne sont pas le médicament miracle du cancer. Il manque une étude sérieuse qu'il serait urgent de mener. Sur l'animal, des études américaines ont prouvé leur efficacité.

En cas de cancer reconnu, le Dr Solomidès préconisait la technique américaine du traitement en sandwich, d'abord stopper l'évolution avec les P.S., puis l'exérèse de la tumeur suivie de la reprise du traitement. Il reconnaît l'intérêt de la radiothérapie dans le cas de tumeurs anciennes et sclérosées trop imperméables au solvant E.R.P. (ne pas dépasser 200 rads par séance à raison de 3 séances hebdomadaires, sans dépasser la quinzaine, sous peine de léser irrémédiablement les lymphocytes).

La non-toxicité des P.S. est établie par tous les thérapeutes.

La grande contre-indication est l'insuffisance rénale grave et le problème que rencontre le patient est la difficulté d'administration par injection intraveineuse. Les P.S. sont sclérosants du fait de la présence d'iode (ou d'impuretés ?). Le Dr Lagarde a établi onze lois à respecter pour sauvegarder l'intégrité du système veineux.

4. Traitements associés

Certains médecins associent les P.S. avec l'amygdaline, les enzymes (Carzodélan), le laurylsulfate de soude, l'homéopathie, etc., également avec les traitements classiques, chirurgie, radiothérapie et chimiothérapie. Une expérimentation randomisée en clinique humaine, portant sur 300 malades et établie sur une période de 12 mois, a montré que le Métacomplex (P.S. produits et commercialisés par un autre laboratoire que celui du Dr Solomidès) potentialise l'action de la chimiothérapie. Mais les PS du laboratoire de Sceaux et le Métacomplex sont-ils le même médicament ?

5. Le remède

Les remèdes se présentent sous la forme d'ampoules stérilisées injectables, les unes contenant l'emulsov (E.R.P.) et d'autres substances, d'autres uniquement une substance sans l'E.R.P. Il y a aussi des P.S. buvables (sans l'E.R.P.), des suppositoires, des pommades, aérosols.

Ces produits ne sont pas remboursés par la S.S.

Avec une ordonnance, on peut se procurer ces médicaments en écrivant à l'Institut J.-Solomidès, 56, rue de la Marne, 92330 Sceaux ou à la Fondation Solidarité, 44, rue d'Arsonval, 62300 Lens.

Tél. : (21) 43.91.44.

Chimiothérapies côté cour

1. Identité

Les poilus de la Première Guerre mondiale, comme les Irakiens actuels, ont fait de la chimiothérapie sans le savoir. La chimiothérapie du cancer est en effet née il y a trente ans de la découverte accidentelle de l'action antitumorale de la moutarde à l'azote, dérivée des gaz moutardes tellement fameux. Malgré les succès éphémères de cette drogue dans la maladie de Hodgkin et les lymphomes, il a fallu attendre les années 60, avec leur succès en hématologie et le support de l'industrie chimique, pour assister au développement et à l'usage généralisé des drogues cystostatiques. Ces substances sont aujourd'hui plus de 40, dont une trentaine de commercialisées, réparties en six classes : les agents alcoylants, les antimétabolites, les alcaloïdes des plantes, les antibiotiques antitumoraux, les hormones, les immunostimulants.

2. Action

Le principe d'action de la chimiothérapie est la destruction du cancer par des poisons cellulaires. Chacune des six familles a sa façon de tuer.

a) les agents alcoylants : Ils induisent la mort cellulaire en provoquant des altérations du D.N.A., le patrimoine génétique de la cellule qui programme toutes les activités essentielles à sa vie. Il s'agit de la *méchloréthamine* ou moutarde à l'azote (l'ancêtre de la chimiothérapie), encore utilisée dans la maladie de Hodgkin, du *cyclophosphamine* (très dangereux chez les malades en âge de procréer), de la *moutarde de L-phénylalanine* (Melphalan) utilisée dans les myélomes multiples, le *chlorambucil* à action lente, le *busulfan* (Myléran) à action myélosuppressive sélective dans les leucémies myéloïdes chroniques, les *nitroso-urées* à cytotoxicité élevée, le diméthyltrizéno-imidazole carboxamique (D.T.I.C., Deticène), adjuvant du traitement chirurgical dans les mélanomes malins, également dans le protocole de certains sarcomes.

b) les antimétabolites : Ce sont des substances si proches des métabolites normaux qu'ils entrent dans le système métabolique de la cellule dont ils interdisent la synthèse du D.N.A. ou/et R.N.A. Il s'agit du *méthotrexate* (utilisé surtout dans les leucémies aiguës) à forte toxicité (nombreux effets secondaires), la *6-mercaptopurine* (ou azathioprine ou Imuran) un dérivé, la *thioguanine*, le *5-fluoro-uracil* (5FU), la *cytosine-arabinoside*, immunosuppresseur puissant utilisé dans le traitement de la leucémie myéloblastique aiguë et des lymphomes.

c) Les alcaloïdes des plantes : Ils agissent sur la division cellulaire (mitose). Il s'agit d'une phytothérapie « dure », toxique, qui exerce une action nocive sur le système immunitaire. La *vinblastine* et la *vincristine*, extraits de la pervenche, sont utilisées dans la maladie de Hodgkin, les leucémies aiguës (où la vincrastine obtiendrait 70 % de rémission) et dans les lymphomes lymphocytaires et histiocytaires.

[Voir *Électrothérapie ionoicinèse* : l'utilisation d'alcaloïdes du colchique et de la podophylle (antimitotiques vrais qui n'ont pas d'effets immuno-suppresseurs) par le Dr Janet et *Phytothérapie plantes africaines* deux autres antimitotiques d'origine végétale découvertes par le Dr Tubéry.]

d) antibiotiques antitumoraux : Substances produites par des organismes vivants qui perturbent le métabolisme et détruisent les cellules dans lesquelles elles pénètrent (effet inhibiteur sur la synthèse du R.N.A. et/ou D.N.A.). La *dactinomycine*, la première en date, est utilisée dans les tumeurs de l'enfant : néphroblastome, rhabdomyosarcome et dans les tumeurs trophoblastiques de la femme. La *mithramycine* est surtout utilisée dans les tumeurs testiculaires germinales. La *rubidomycine* et l'*adriamycine* sont utilisées dans de nombreux cancers. Mais elles ont un effet nocif en particulier sur la moelle osseuse ou épinière, et le cœur. La *bléomycine* est surtout active dans les tumeurs malignes de la tête et du cou, cancers de la peau, lymphomes de la verge et tumeurs des testicules. L'action de la *mitomycine* peut être comparée à celle des alcoylants.

e) autres drogues : Sont encore utilisées d'autres drogues, comme un dérivé de l'urée, l'*hydro-urée* (dans le traitement de la leucémie myéloïde chronique), la *procarbazine* (Hogkin, cancer du poumon à petites cellules), le *mitotane* dérivé de l'insecticide D.D.T., qui provoque la destruction sélective des cellules cortico-surrénales normales ou tumorales, l'*asparaginale* (leucémies lymphoblastiques aiguës), le *cisplatinum*, un médicament encore expérimental.

3. Indications

En général, les médecins de terrain reconnaissent la nécessité de la chimiothérapie employée à bon escient et à doses modérées en association avec les traitements qui renforcent les défenses immunitaires. Mais il ne faut pas en faire le traitement miracle, ce qui confirme le Dr B. Pierquin, professeur à la Faculté de Médecine de Paris-Créteil et du département de carcinologie de l'hôpital Henri-Mondor (Créteil).

Il fait le point sur la chimiothérapie en 1980 dans un article (C.M. du 6-12-80) :

« Annoncer des résultats de telle ou telle nouvelle substance, par exemple en matière de cancer du sein après dix-huit mois, alors que l'évolution de ce cancer ne peut être jugée avant un minimum de cinq ans, voire de dix ans, c'est faire preuve d'imprudence, voire d'incompétence. »

Pour le Pr. Pierquin « le bilan actuel de la chimiothérapie anticancéreuse en 1980 reste modeste : pour 5 % des cancers les drogues sont indispensables et très efficaces, pour 10 % elles sont utiles et recommandables, pour 85 % elles sont contestables, voire inutiles ». La chimiothérapie arrive en effet à réduire dans une grande proportion la tumeur, surtout lors des premières séquences, mais n'en vient pas à bout, à cause du faible métabolisme du tissu cancéreux. Il faudrait de telles doses que le patient serait lui-même victime de la drogue... les cellules saines réagissent en absorbant avidement, elles, les poisons cellulaires. Il s'ensuit des effets secondaires de plus en plus graves, avec effondrement des défenses organiques. « *Le cancer ne laisse à la chimiothérapie* seule aucun espoir actuel de guérir » conclut le cancérologue. Quelles sont les indications de la chimiothérapie ? Le médecin les classe en trois groupes, les indications fondamentales et indiscutables, *majeures*, les indications incertaines et discutables *mineures*, enfin les indications *palliatives*.

a) indications majeures au nombre de trois :

CANCERS DE LA CIRCULATION SANGUINE OU LYMPHATIQUE naissant dans le tissu hématopoïétique : hémopathies malignes comme les leucémies, les lymphomes (hodgkiniens ou non), myélomes. L'action de la drogue est favorisée par la fragilité des tissus cancéreux du fait de leur intense activité métabolique et de la grande vitesse de leur renouvellement. Son action est limitée par la non moins grande fragilité du tissu sanguin sain, ce qui nécessite l'apport d'une autre thérapeutique.

CANCERS DANS LES TISSUS PRÉSENTANT UN DÉFAUT DE

MATURATION : cancers de l'enfant (sympathoblastomes, néphroblastomes...), cancers du testicule (dysembryoplasie) chez l'adolescent, choriocarcinome chez la femme gravide. La chimiothérapie associée à la radiothérapie joue un rôle déterminant.

CANCERS DES GLANDES SEXUELLES FÉMININES : OVAIRES ET SEINS : ils naissent dans des tissus « dépendants » d'une activité hormonale. Mais pour le cancer du sein, la chimiothérapie n'est efficace que dans 30 % des cas.

Au total, il s'agit de 15 % des cancers, 5 % des cancers du sang et de l'enfant, 10 % cancers de l'ovaire, du sein, et une petite part des cancers de la prostate.

b) les indications mineures : 85 % des cas, la plupart des cancers qui se développent tous aux dépens de tissus « matures » et « différenciés ». *« Tous les essais chimiothérapiques, des plus simples aux plus sophistiqués, n'ont jusqu'à présent apporté aucune preuve de leur utilité ni de leur nécessité. »* Cela est vrai des cancers O.R.L., bronchites (cancers anaplasiques à part), gynécologiques (seins et ovaires partiellement à part), cancers urologiques, dermatologiques, digestifs, conjonctifs ou osseux, tumeurs cérébrales... *« D'innombrables travaux, dans le monde entier, ont célébré, depuis trente ans, les effets immédiats de telle ou telle drogue ou de telle ou telle association de drogue, mais passées quelques années ces essais tombent régulièrement dans le silence de l'oubli »* conclut le Pr. Pierquin...

c) indications palliatives : Le Pr. Pierquin ne met pas cependant en cause les vertus palliatives de la chimiothérapie : réduction tumorale dans les formes à évolutions aiguës en quelques séquences pré-chirurgicales ou pré-radiothérapiques, amélioration fonctionnelle au niveau de métastases douloureuses ou compressives. Il souhaite d'autre part des essais *rigoureux*, réalisés par des associations scientifiques internationales compétentes. Mais il dénonce avec force *« l'abus inconsidéré de la chimiothérapie »* dans les cas guérissables par des moyens classiques (chirurgie ou radiations), et dans les cas de cancers incurables (métastasés), où *« l'emploi des poisons cellulaires est trop souvent appliqué de façon magique, parce qu'il ''faut faire quelque chose'' alors qu'il serait plus humain de ''voir la mort en face'', mort vers laquelle il faut aider le malade à s'acheminer aussi doucement et aussi confortablement que possible ».*

4. Les risques et effets secondaires

On peut classer les effets secondaires selon la rapidité de leur apparition.

a) effets à court terme : Les chimiothérapies sont administrées essentiellement par voie intraveineuse. Les premiers incidents sont veineux : veinites, thromboses, accidents d'extravasation médicamenteuse (incidents plus fréquents avec les anthracyclines et les nitroso-urées).

La deuxième sorte de troubles concerne tout le système *nutritionnel* et *digestif* : nausées, vomissements répétés, anorexie, diarrhée douloureuse, avec des drogues comme les moutardes, les nitroso-urées, le cusplatinium et l'imidazole carboxamique par exemple.

Surviennent aussi des *accidents viscéraux* ou *hématologiques* (hémorragies) et une *asthénie, dépression* et *réactions d'hypersensibilité*, assez fréquentes avec la L-asparaginase, plus rare avec le 5 fluoro-uracile.

Un des effets secondaires les plus connus est la *chute des cheveux*, qui peut être traumatisante pour une femme, même si la repousse est garantie à l'arrêt du traitement. L'alopécie survient avec les anthracyclines, les nitroso-urées, le cyclophosphamide, également avec les perfusions en continu du 5 fluoro-uracile ou la cytarabine. Elle est totale au bout d'un mois ou deux.

La chimiothérapie altère le système immunitaire, ce qui le rend extrêmement fragile aux *complications infectieuses :* infections fongiques (champignons, virales, bactéroïdes). Fièvre importante, zona, septicémie, pneumonie ou même absence de symptômes, sont des complications qui mènent à la mort si le patient n'arrive pas à surmonter la neutropénie (diminution du nombre de leucocytes).

b) effets tardifs : On ne pense

pas que la chimiothérapie seule ait une action carcinogène, mais associée à la radiothérapie, il y a *risque de deuxième cancer* (leucémie myéloblastique aiguë ou tumeurs dans le volume irradié). Ceci a été étudié dans le cas du Hodgkin, où 5 à 10 % des sujets présentaient une leucémie pendant les 10 années suivant le traitement. (A savoir avant d'accepter un traitement radiothérapique adjuvant.)

Il y a un grand risque de *stérilité* chez les personnes des deux sexes. Elle est généralement irréversible chez les hommes de plus de 30 ans et peut être réversible, au bout de quelques années, en dessous de cet âge. Chez la femme on assiste souvent à des *arrêts des règles* (aménorrhées) liés à un déficit hormonal, d'autant plus fréquents que la femme est jeune. Toutes les drogues anticancérigènes sont *tératogènes* (grand risque de malformations). Si une grossesse survient pendant le traitement, tant chimiothérapie que radiations, il vaut mieux avorter ou alors arrêter ces traitements. On ne connaît pas les risques lointains pour le fœtus même lors d'un traitement subi au cours du dernier tiers de la grossesse.

5. Traitements adjuvants côté jardin

De nombreux traitements de terrain, Viscum Album, oxygénothérapies, biothérapies... suivis parallèlement à la chimiothérapie, atténuent ses effets nocifs. La Fondation Solidarité de Toulouse préconise pour sa part deux sortes de médicaments.

a) médicaments existant en pharmacie : *Solcoseryl :* sang de jeune veau déprotéiné. Semble assez efficace à fortes doses, en injections I.V. ou I.M., avant, pendant et après la chimiothérapie : 3 ampoules par jour. Il s'agit d'un régénérateur tissulaire dont les Hollandais, en 1973, ont prouvé l'efficacité. Le *Carbone colloïdal* : préparation magistrale qui s'utilise en injection I.V. ou I.M. après la chimiothérapie, 1 ampoule par jour pendant 10 jours, à commencer 4 ou 5 jours après l'arrêt de la chimiothérapie. Les produits vitaminés ou assimilés aux vitamines sont d'un effet inconstant.

b) médicaments non commercialisés en France (officiellement) : Non remboursés S.S. L K Cl ou Teinture-Mère de Gnidia Kraussiana déterpéné (voir *Phytothérapies plantes africaines*) et *Serocytol S.R.E.* (système réticulo-endothélial) + émonctoire. 1 suppositoire avant, pendant et une semaine après la chimiothérapie (voir *Serocytothérapie).*

6. Renseignement pratique

Le *Carbone colloïdal* est à commander avec ordonnance et feuille de maladie à la pharmacie Victor-Hugo, 2, bd Auguste-Sembat, 38000 Grenoble.

7. Contribution du docteur André Gernez à la concertation nationale sur le cancer (1982)

La possibilité d'une *Chimioprévention générale active* du cancer a été définie théoriquement en 1969, confirmée expérimentalement chez l'animal à l'Institut de Toxicologie de l'Université de Paris (M. J. Gak, 1971-1973), reprise et confirmée expérimentalement chez l'animal puis l'homme par l'école américaine, et son application proposée par le ministère américain de la Santé à l'ensemble des médecins américains (circulaire avril 1982).

Aucune raison ne justifie que la population française ne bénéficie pas de cette procédure.

La possibilité d'améliorer la statistique de *Guérison du cancer* cliniquement émergé par une chimiothérapie systématique antimétastatique post-opératoire a été proposée en 1969.

Ces résultats (Congrès International de Rio de Janeiro) ont entraîné sa généralisation au monde occidental et son inapplication est considérée comme une faute professionnelle justiciable de poursuites dans certains pays.

Faute d'une information claire et objective, son application en France reste aléatoire, inconstante et désordonnée dans sa procédure, avec pour résultat une minoration statistique de curabilité comparativement à d'autres pays.

Il convient d'y remédier.

L'adjonction à cette procédure de *Contreforts biologiques* destinés à renforcer son action pour les cancers résistants ou récidivants a été proposée en 1970.

Chacun de ces contreforts (hyperthermie provoquée, transfusion de G.B. autologues, intégration radio-chimiothérapique, antimitogramme, stabilisation homéostatique par cytolysats humoraux) a fait la preuve de sa validité et de son efficacité.

Leur utilisation reste confinée à des laboratoires ou services à des fins de publication, sans la moindre tentative d'une application concrète au bénéfice des maladies et sans la moindre systématisation indispensable pour en potentialiser les effets.

Cet état de chose est à amender.

Toutes les théories pathogéniques ont droit, sans discrimination, à la publication aux fins d'être examinées, refusées ou acceptées. Les attitudes et manœuvres occultantes ou occlusives sont sans justification.

Chirurgie

1. Identité

a) côté cour : Jusqu'au milieu des années 60, la chirurgie du cancer avait pour maître Halstedt. En 1894, ce chirurgien avait réalisé la première mastectomie. L'idée qui guide son bistouri est de considérer la tumeur de cellules cancéreuses comme le point de départ de la maladie qui, à partir d'elle, essaime dans tout le corps. Il faut donc intervenir radicalement en éradiquant la tumeur le plus largement possible, y compris les zones vasculaires et ganglionnaires adjacentes « contaminées ».

Longtemps, la chirurgie fut considérée comme *la* thérapie du cancer, avec les résultats catastrophiques que nous connaissons : « L'impuissance de la chirurgie à guérir le cancer est illustrée par un fait frappant : 20 % des opérés meurent d'une récidive locale, 80 % de métastases à distance » a affirmé le Professeur Israël dans « Cancer aujourd'hui ».

L'échec du « Halstedt », du fait des métastases, a réduit son utilisation. On lui préfère des ablations plus localisées (des résections) et la chirurgie est entrée dans l'ère de la chirurgie plastique de reconstruction avec ses prothèses diverses. Mais la conception « halstedtienne » est encore fondamentalement celle de la chirurgie actuelle.

b) côté jardin : Cette conception dominante est remise en question par un certain nombre de médecins qui ont une vision globalisante de la maladie. L'opération chirurgicale serait une conception « pré-scientifique », qui évoque la magie noire des sorciers, anciens ou modernes comme les guérisseurs philippins. L'ablation, comme les autres thérapeutiques agressives du cancer, serait un acte violent à l'image de la société actuelle. Le cancer, considéré comme un agresseur, doit être détruit, extirpé, alors qu'il est une partie de nous-mêmes. En le reconnaissant comme tel, nous pourrions par d'autres moyens le rendre réversible... Mais pour la plupart des médecins, l'opération chirurgicale reste à l'heure actuelle un moyen de réduire la masse tumorale.

2. Action

a) côté cour : Pour les cancérologues, l'acte chirurgical reste encore la première thérapie des cancers à un stade précoce, même si on lui préfère souvent la radiothérapie, moins mutilante. Pour eux, la chirurgie (et/ou la radiothérapie) d'une tumeur localisée doit réduire son volume, source de métastases clonogéniques. La tumeur est constituée de cellules capables de créer des métastases (cellules clonogéniques) et d'autres qui ne le sont pas. Les cellules clonogéniques, diminuées et dispersées, peuvent être détruites par l'organisme, aidé ou non par un autre traitement. Certains cancérologues font précéder la chimiothérapie d'une intervention chirurgicale pour permettre à celle-ci et aux défenses immunitaires de jouer pleinement leur rôle.

b) côté jardin : Cette action devient plus efficace si l'on renforce par des thérapeutiques de terrain l'état général du malade avant et après l'opération. Un certain nombre de médecins (dont le Dr Lagarde) ne croient plus en l'ablation en cas de tumeur non différenciée, qui a tendance à se développer et à métastaser très rapidement (voir en annexe *Stades*). Pour ces types de cancer, l'ablation de la tumeur ou d'une tumeur serait nocive, voire inutile. Au contraire, la chirurgie a d'excellents résultats en cas de tumeur différenciée à évolution lente.

3. Indications

a) côté cour : La plupart des cancers à un stade précoce relèvent de la chirurgie si l'acte est techniquement possible. Généralement, la chirurgie n'est guère indiquée en cas de métastases prouvées. Si l'on n'en décèle pas, l'indication opératoire sur la tumeur prouvée ou suspectée doit être discutée selon l'histoire de la maladie, l'état du malade et l'extension locale.

La chirurgie joue cependant un rôle croissant dans le traitement de cancers métastatiques, et les métastases elles-mêmes, en même temps que la tumeur primitive, sont enlevées. C'est souvent l'opération de la « dernière chance ».

Finalement, d'après une encyclopédie pour médecins, 15 % environ des malades répondent aux conditions requises pour une intervention chirurgicale. *« Les examens soigneux des malades, corrélés à l'étude précise de l'extension du cancer, aboutiront sans doute à un plus petit nombre d'interventions, mais avec une meilleure proportion de guérison. »*

b) côté jardin : Un vœu qui est encore loin de la réalité. Le fait d'opérer ou pas relève souvent du hasard. Tout dépend dans quel service on tombe et l'on est finalement victime de la concurrence que se font encore trop souvent les différents services hospitaliers. En dehors de certains centres anticancéreux où règne une véritable pluridisciplinarité, c'est trop souvent l'anarchie et il manque encore le véritable maître-d'œuvre d'une approche plurielle. La fonction de cancérologue n'existe pas, comme la cancérologie d'ailleurs, et le médecin traitant est en dehors du coup...

Il y a plus grave : la médecine, emprisonnée par sa conception générale de la maladie, ne donne pas d'explication convaincante des flambées générales métastasiques après l'opération. On soupçonne bien que certains cancers sont installés dans l'organisme entier bien que les métastases (micrométastases) ne soient pas décelables. C'est précisément sur ce terrain que se placent certains médecins : *« L'opération est exécutée la plupart du temps sans tenir compte de l'état immunitaire, ni de l'état général et psychique du malade et, enfin sans préparation préopératoire spécifique du cancer »* écrit le Dr Lagarde, qui dit aussi : *« De toute façon, tout le monde administre, coupe, irradie dans l'inconnu. »* Le vœu d'*« examens soigneux »* restera un vœu pieux tant que la médecine n'aura pas reconnu les tests marginalisés. Les examens biologiques classiques (voir *Dépistage*) sont insuffisants.

Les opérations régionales, avec curetage ganglionnaire, peuvent être néfastes. *« C'est au niveau des ganglions que les macrophages et les lymphocytes recueillent et exploitent l'information antigénique qui va conduire à une immunité spécifique »* (Escher).

Un médecin comme le Dr Lagarde indique finalement

l'opération dans deux cas bien précis, lors d'une *complication mécanique :* une occlusion d'un organe creux, une hémorragie importante due à la rupture d'un gros tronc aéro-veineux — la vie du malade en dépend — et au cours du traitement, la cancérométrie de Vernes et le test d'Heitan-Lagarde étant satisfaisants, la *chirurgie dite en sandwich* doit être envisagée, chirurgie la plus limitée possible s'adressant à des tumeurs de faible volume (seins, prostate, muqueuses buccales, thyroïde...) et peu envahissantes. Intervenir le plus tôt possible.

Les médecins « côté jardin » font appel au chirurgien en cas de développement du volume de la tumeur (plus de 10^9 cellules) pour la réduire et permettre à l'organisme de reprendre le dessus, aidé par des thérapies qui le renforce.

D.N.R.

1. Identité

Le D.N.R., Duffaut Norbert Remède, est une « soupe » d'oligo-éléments et de dérivés organo-silicés, dont la forme purifiée est en pharmacie sous le nom de Conjonctyl et sous la forme d'ampoules injectables.

2. Action

Le D.N.R. aurait une action de restructuration du tissu conjonctif, et une action adjuvante dans bon nombre d'inflammations chroniques.

La médecine anthroposophique donne une grande place à la silice (voir cette fiche). Selon le Dr Rita Leroi, de la clinique d'Arlesheim (Suisse) « l'homme a besoin chaque jour de 20 à 25 mg d'acide silicilique. S'il en manque, il peut risquer l'anémie siliceuse... provoquée par la trop grande richesse de l'eau en calcaire, une alimentation à base de fruits ou légumes décortiqués : un signe de l'anémie siliceuse est la fragilité des ongles ». « Le processus silice » est en rapport avec la lumière et avec la structuration des protéines. Elle joue aussi un rôle important dans l'information cellulaire.

3. Indications

Les organo-silicés sont un appoint important dans les traitements des états précancéreux et cancéreux.

En 1976, Lévrier, Reboul et Dilhuydy, de la chaire de carcinologie de l'hôpital Saint-André de Bordeaux II, et N. Duffaut, du Laboratoire de Chimie Organique de la Faculté des Sciences, Bordeaux I, ont fait une longue communication sur l'effet favorable des organo-silicés dans les mastopathies polykystiques et douloureuses. Cette expérimentation a duré quinze ans et porte sur 347 cas. Dans plusieurs cas, ils ont constaté une régression massive des macrokystes, qui se manifeste en général par une disparition de la douleur, une récupération de la souplesse du sein, une diminution du volume des nodules et une réapparition des structures adipeuses...

4. Traitements associés

Dans l'ionocinèse (voir *Electrothérapie*) du Dr Janet, l'ionisation à ampérage constant permet d'accentuer la pénétration du D.N.R. Le mélange du D.N.R. avec certains produits chimiothérapiques permet d'obtenir un effet de synergie que l'on retrouve aussi dans l'association D.N.R. et métalothérapie de Vernes.

L'association des organosilicés avec le Viscum Album permet également d'améliorer les résultats en cancérologie.

5. Bibliograhie

« Objectif cancer » du Dr Jacques Janet, 1982, Éd. Bionat (Bordeaux).

« Choisir la vie » du Dr Dominique Ruef, 1984, Éd. Le Hameau.

6. Renseignements pratiques

Le D.N.R. est fabriqué par le Pr. Norbert Duffaut, 351, Cours de la Libération, 33405 Talence. On peut aussi se procurer le produit à la Fondation Solidarité Toulouse. Le prix en est très modique : 20 à 30 F.

Électrothérapies et magnétisme

A. La négativation électrique

La négativation électrique est une électrothérapie utilisant à doses infimes des impulsions rythmées et modulées d'électricité. Elle est pratiquée à l'aide d'un instrument appelé « Appareil de négativation électrique » qui a succédé à l'Électrocapulsateur de Charles Laville (1866-1959), l'inventeur en 1922 de cette thérapeutique. Celle-ci, très peu pratiquée malgré de nombreuses communications sur ses résultats (surtout avant guerre), a été relancée par le livre du Dr Jean Valnet « Docteur Nature » en 1970. Elle est, semble-t-il, toujours aussi discrète aujourd'hui, malgré un engouement dans certains milieux. Pour Jean Valnet, la raison de la quasi-disparition de l'électrothérapie vient de la guerre de 40-45, dont la fin coïncide avec le début du règne de la chimiothérapie et de l'antibiothérapie. L'électrothérapie a déjà cependant, à ce moment, un long passé scientifique.

1. Action

Dès 1827, Orioli déclare que tout organe est un appareil électrique qui a des interactions réciproques avec les autres organes de l'organisme. Kölliker et Müller découvrent en 1857 les courants électriques du cœur et l'électrocardiogramme est né en 1873 des expériences de Lippman.

D'Arsonval, qui peut être considéré comme le père mondial de l'électrothérapie, trouve en 1882 que le muscle est générateur de courant électrique, la chaleur n'étant qu'un résidu de l'existence de ce courant. Charles Laville, à partir de 1928, confirme les travaux précédents et démontre que le fonctionnement musculaire et, d'une manière générale, tout le métabolisme cellulaire semblent conditionnés par des déplacements de charges électriques endogènes, intra et inter-musculaires, de forme discontinue, d'intensité et de tension très faibles, produites par l'action électrogène du glucose. Ainsi les travaux de Laville — d'autres aussi à la même époque — ont-ils un autre champ d'approche du métabolisme que celui, devenu classique, de Lavoisier. Pour ce dernier, ce sont les oxydations cellulaires qui engendrent l'énergie calorique. Pour eux, le métabolisme cellulaire, de nature électrochimique, n'est qu'un jeu très fin d'ionisations rendues possibles par l'eau présente dans chaque tissu vivant.

La bonne santé résulterait d'un balancement harmonieux entre intériorisation et extériorisation de l'énergie, l'homme en bonne santé étant électrisé négativement, et la maladie étant caractérisée par l'électricité positive.

L'appareil de Charles Laville, apportant à l'organisme des doses physiologiques d'électricité statique à bas potentiel, met en fonctionnement les cellules déficientes. Les doses infinitésimales reçues, d'ailleurs non perçues par le patient, le font vibrer « des pieds à la tête » comme s'il s'agissait d'un véritable « massage électrique cellulaire ».

2. Indications

Les indications de cette thérapie sont nombreuses : affections aiguës ou chroniques rebelles, troubles digestifs (dyspepsies, gastro-entérites, colites), troubles respiratoires (asthme, rhume des foins), règles douloureuses, syndromes artéritiques, goitre, déficiences générales, canceroses. Le Dr Valnet écrit avoir eu des résultats dans certains cas d'asthénie, de nervosisme, d'insomnie, de migraines, d'affections spasmodiques, d'algies rhumatismales, de cancers.

3. Effets secondaires et traitements associés

« La négativation comporte un champ d'application assez large, mais à condition d'être employée d'une manière clinique et non standardisée » écrit Jean Valnet. « Les applications doivent être appropriées aux affections et aux réactions éventuelles du sujet. Il faut connaître son état humoral et physicochimique et traiter d'une manière parallèle les déficiences ou déviations humorales. » Ceci par des thérapeutiques non toxiques, la phyto et l'aromathérapie pour le Dr Valnet, car il faut savoir que la négativation potentialise les médications associées.

4. Adresses

L'appareil de négativation électrique actuel, plus léger et silencieux que l'électropulsateur de Charles Laville, plus petit aussi, est commercialisé par Marion C.P. 175-177, rue Lecourbe, 75015 Paris. Tél. : 531.12.50.

Renseignements plus complets sur la méthode dans « Docteur Nature » du Dr Jean Valnet, Fayard (1980).

B. Ionocinèse

L'ionocinèse est un procédé d'électrothérapie mis au point par le Dr Jacques Janet à partir de 1957. Son originalité réside dans le fait qu'il fait appel à un générateur autoréglé qui corrige intégralement toutes les modifications que l'organisme fait subir aux courants qui le traversent. Ce courant continu réglé a une intensité de valeur constante, permet de placer un organe ou une partie du corps dans un champ électrique parfaitement invariable.

1. Action

Ce champ électrique constant a une action directe sur les échanges ioniques se produisant au sein des tissus vivants. Il permet de réaliser un apport énergétique susceptible de favoriser les échanges. Ainsi, sur des tissus musculaires ayant été soumis expérimentalement à un champ électrique, il a été constaté une augmentation importante de la consommation d'oxygène. Le courant accélère aussi le processus de la cicatrisation.

La grande originalité de l'ionocinèse réside dans l'inocuité de l'administration électrolytique des médicaments où le courant réglé permet d'éviter tous les effets secondaires du courant galvanique classiquement utilisé.

Dans le domaine du cancer, l'apport énergétique dû au courant réglé favorise les échanges ioniques. Il se montrerait ainsi capable d'améliorer la transmission des informations parvenant du milieu extra-cellulaire à la tumeur. Celui-ci agit aussi sur l'équilibre ionique des humeurs et accroît la consommation tissulaire d'oxygène, activant ainsi le métabolisme.

L'ionocinèse permet, en outre, de concentrer électivement dans les masses tumorales des médicaments peu maniables ou toxiques par la bouche ou en injections.

2. Indications

De nombreuses formes de cancer ont bénéficié de l'action favorable de l'ionocinèse, dont on mesure les effets grâce aux techniques de la cancérométrie de Vernes.

Jacques Janet a utilisé pour ceci des « ions médicamenteux » tels que le D.N.R. du Dr Norbert Duffaut (voir fiche), le plomb, l'héparine, le Thiocolciran (N-désacétyl-thiocolchicine), le fosfestrol tétrasodique (ST 52 Lucien), et les sérocytols de Thomas.

C'est avec le thiocolciran du Laboratoire Roussel que le thérapeute a commencé ses premiers traitements de cancéreux à l'ionocinèse. Ce dérivé de la colchicine, moins toxique que celle-ci, est un alcaloïde, substance d'origine végétale qui a les propriétés d'un électrolyte. Parmi les dix premières observations publiées par Janet, figurent les bons résultats obtenus dans des tumeurs du rectum et de l'utérus, ce qui a préparé l'opération ultérieure (associé au D.N.R.).

Avec le ST 52 Lucien, le thérapeute combat efficacement les hypertrophies prostatiques, bénignes ou malignes.

3. Effets secondaires

L'ionocinèse utilise un courant qui n'a aucun effet perturbateur sur le fonctionnement électrochimique normal des tissus vivants.

Et le Dr Janet ne signale pas d'effets indésirables de médicaments administrés avec cette méthode. Sa seule réserve va à l'emploi des sérums antitissulaires (sérocytols), homologues des tissus cancérisés.

Enzymes

1. Historique

Les enzymes sont des protéines à poids moléculaire élevé, rendant possible le déroulement de la presque totalité des réactions biochimiques de notre corps. L'utilisation des enzymes en thérapie anticancéreuse est déjà ancienne. Les sorciers indiens employaient des feuilles de papayer pour combattre les tumeurs malignes et pratiquaient, sans le savoir, une thérapie enzymatique, car la papaïne est une enzyme protéolytique qui fait partie du système digestif. La papaïne fut d'ailleurs utilisée pour la première fois en 1820, sous la forme d'un suc gastrique, par Physick. En 1888, une autre enzyme protéolytique, la pepsine, fut utilisée par Douglas dans le traitement des lésions cancéreuses ulcéreuses. Mais c'est en 1902 que l'embryologiste Beard fit faire un grand pas en avant à la thérapie enzymatique en traitant le cancer à partir d'enzymes de pancréas d'animaux. Son livre « The Enztle Treatment of Cancer » eut un grand succès dans le corps médical. De nombreux médecins déclarèrent avoir eu des résultats satisfaisants en employant des extraits frais de pancréas, avec peu d'effets secondaires (augmentation de la température).

2. Le carzodelan

a) identité : La combinaison d'enzymes appelée carzodélan, nous la devons au docteur Gaschler, qui, dès 1938, s'intéresse à cette thérapeutique du cancer. La guerre interrompit ses travaux et ce n'est qu'à partir de 1948 que sa préparation, consistant en une association de trois enzymes (protéase, lipase et amylase), fut expérimentée et donna des résultats encourageants.

b) action : Le dr Gaschler avait remarqué, dans le sang et les tissus cancéreux, une diminution non seulement des enzymes protéolytiques, mais aussi des nucléases (sécrétées par la muqueuse intestinale), des lipases (enzymes que l'on rencontre un peu partout dans le corps), catalases (enzymes desoxydantes voisines des peroxydes) et desoxydo-réductases. Il s'agit de mettre de l'ordre dans le métabolisme malade ou vieillissant en procurant à l'organisme les ferments qui lui font défaut. Le carzodélan agit aussi de façon cytotoxique sur les cellules cancéreuses. En effet, au bout d'une certaine durée du traitement, il est parfois possible de limiter la croissance maligne et de la stopper. Le Dr Lagarde affirme qu'on peut empêcher la formation de métastases, et ceci sans effets sur les cellules saines. Pour le Dr Rueff, l'effet antalgique et anti-inflammatoire n'est pas long à se faire sentir.

c) indications : Ces médecins conseillent l'utilisation en association avec d'autres thérapeutiques comme l'oxygénation, les P.S., le viscum album, dans les phases de traitement préopératoire ou post-opératoire des tumeurs malignes.

Gaschler affirme qu'une alimentation non toxique, où les graisses animales ont été remplacées par des graisses polyinsaturées, renforce l'effet de ce médicament.

Celui-ci agit aussi dans les affections d'origine virale, la grippe notamment, qui réagirait après une seule injection. Beaucoup d'inflammations chroniques (bronches, vésicule biliaire, intestin, prostate, utérus) peuvent être améliorées. On connaît le rôle des inflammations chroniques dans la genèse de la cancérisation.

d) compositions et forme : Le Carzodélan est conditionné en ampoules de 2 CC, chaque ampoule contenant de la protéase, lipase et amylase, complexe enzymatique combiné à des nucléases et lié à une substance porteuse exerçant une influence activant sur les enzymes protolytiques.

Au début du traitement, une injection par jour par voie intramusculaire, puis deux à trois par semaine. Durée du traitement, de 6 à 8 mois.

Où s'adresser : Pharma Laboratorium S.M. Gaschler, Oeschländerweg 17, 899 Lindau-Bad Schachen, R.F.A.

Hormonothérapie

1. Identité

L'hormonothérapie est la moins toxique des chimiothérapies. Elle vise à bloquer la croissance de certaines tumeurs appelées hormonodépendantes. Dès 1896, Beatson avait fait la première démonstration du contrôle hormonal du cancer du sein, en induisant une régression de métastases par une ovariectomie. La chirurgie d'exérèse est toujours largement utilisée dans les cancers hormono-dépendants, mais la chimiothérapie hormonale, en tant qu'adjuvant ou comme traitement principal, tient une large place dans le protocole.

Les tumeurs hormonodépendantes sont celles du sein, de la prostate, de l'utérus (endomètre), de la thyroïde, de l'ovaire, du rein, des glandes surrénales, des îlots de Langerhans (pancréas). Toutes ces glandes endocrines (certaines aussi exocrines) fabriquent des hormones sous l'impulsion de la super-glande, l'hypophyse, véritable chef-d'orchestre qui envoie ses ordres par les stimulines. Chaque glande, stimulée, s'adresse par l'hormone véhiculée dans le sang à un ou plusieurs organes cibles spécifiques.

Ainsi la relation entre l'ovaire et la glande mammaire est de nature hormonale. L'ovaire, glande endocrine féminine, stimule la croissance de ses deux organes cibles, les seins et l'utérus, induit les caractères sexuels féminins secondaires et inhibe le développement de la prostate et de tous les attributs de la masculinité par l'intermédiaire des œstrogènes. Chez l'homme par contre, les testicules produisent les hormones androgènes qui stimulent la prostate, le masculinisent (carrure, barbe...) et inhibent les organes féminins. Mais ovaires et testicules fabriquent également des hormones du sexe opposé en faible quantité, créant un équilibre très personnalisé.

En cancérologie, on a utilisé cette capacité inhibitrice des hormones pour bloquer la croissance de la tumeur lorsqu'on a découvert que les cellules cancéreuses conservent, dans environ 1/3 des cas pour le sein et 2/3 pour la prostate, leur réactivité aux hormones sexuelles. On a également découvert un mécanisme d'intoxication des organes cibles par des doses élevées d'hormones.

2. Action

On croyait d'abord que les hormones modifiaient le métabolisme des hormones circulant dans le tissu cible. Puis, assez récemment, on a découvert un mécanisme d'interaction entre les hormones et une molécule protéique du protoplasme de la cellule qu'on a appelé « récepteur », et qui se trouve tant dans les cellules normales que cancéreuses. Les hormones se fixent à ces récepteurs, les modifient et agissent ainsi sur le D.N.A. de la cellule. Cette découverte est importante dans la mesure où l'on sait maintenant pourquoi certains organismes réagissent aux hormones et d'autres pas. Seules les personnes qui ont dans leurs cellules un récepteur spécifique à chaque hormone réagissent à son action. On dit dans ce cas qu'elles ont une tumeur E.R. (+). L'approche thérapeutique est devenue ainsi plus rationnelle.

3. Indications

En théorie, toutes les tumeurs hormonodépendantes devraient pouvoir bénéficier d'un traitement hormonal en tenant compte du degré de réceptivité individuel. On a aussi constaté une action hormonale sur des cellules de tissus non endocriniens, comme certaines leucémies.

Mais c'est dans le cancer de la prostate, et dans une moindre mesure dans le cancer du sein (féminin comme masculin), que les résultats sont les meilleurs. Dans le cancer du sein, les malades qui n'ont pas de récepteurs et qui ont ainsi une tumeur E.R. (—) répondent au traitement hormonal dans moins de 5 % des cas, et les patientes qui ont une séquence complète de récepteurs protéiques E.R. (+) ont les meilleurs taux de réponse, jusqu'à 75 %.

Les femmes pré-ménopausiques ont souvent des tumeurs E.R. (—) au contraire des femmes ménopausées E.R. (+).

Quant aux malades E.R.(—) qui ne réagissent pas aux hormones, il s'avère qu'elles réagissent mieux à la chimiothérapie.

Une autre catégorie de malades, ceux qui ont une leucémie aiguë, bénéficient du traitement hormonal. La prednisone, un corticoïde surrénal très utilisé, entraînerait une rémission complète dans 60 % environ des cas de leucémie aiguë lymphoblastique, et une rémission partielle dans 70 % des cas de leucémie lymphoïde chronique. On enregistre aussi quelques résultats dans les lymphomes et les myélomes. Cette action prouve la présence de récepteurs protéiques dans les tissus non endocriniens.

4. Effets secondaires

Moins toxique que la chimiothérapie, l'hormonothérapie a néanmoins des effets secondaires importants et ses résultats ne sont pas garantis, notamment dans les cancers qui réagissent aux hormones femelles. On constate aussi des aggravations avec les androgènes qui se transformeraient en œstrogènes dans la tumeur même (Adams et Wong). Ces effets sont différents selon l'hormone utilisée :

— *pour les androgènes :* virilisation, troubles caractériels, hypertension artérielle, troubles cardiaques (troubles digestifs, hypercalcémie, atteinte hépatique),

— *pour les œstrogènes :* troubles digestifs, accidents thrombo-emboliques, incontinence urinaire, hémorragies utérines, pigmentation de la peau, atteinte hépatique,

— *pour les dérivés à action progestative et les inhibiteurs de l'ovulation :* troubles cardiovasculaires, accidents thrombo-emboliques, troubles digestifs, hémorragies utérines.

Hygiène vitale ou psychosomatique naturelle

1. Identité

Il s'agit d'une conception hygiéniste enseignant l'art de sauvegarder et de rétablir sa santé physique et mentale sans médicaments ni interventions médicales. Pour elle, la maladie est la conséquence de la transgression des lois naturelles. On peut la rétablir naturellement en faisant disparaître les causes de cette perturbation, en aidant l'organisme à mettre en œuvre lui-même la force qui maintient l'équilibre vital, une force qui est un pouvoir de préservation, de régénération et d'autoguérison.

La maladie aiguë est en fait une crise de désintoxication, de purification, grâce à laquelle l'organisme tente de se libérer de sa toxémie. Contrarié, cet autonettoyage ne peut être mené à bien et le patient se dirige vers la maladie chronique. Il ne faut surtout pas intervenir en s'attaquant aux symptômes (douleurs, fièvre, transpiration, diarrhées, catarrhes, etc.), car on empêche la maladie aiguë d'atteindre son but de désintoxication. On diminue de ce fait les capacités d'autoguérison et l'énergie nerveuse. Le corps finit par composer avec la toxémie : alors s'installe la maladie chronique, puis les processus de destructions organiques et d'altérations nerveuses : maladies de dégénérescence, dont le cancer.

2. Action

Pour les hygiénistes, indécrottables optimistes, aucune situation n'est irréversible. Il faut pour recouvrer sa santé avoir recours aux facteurs naturels de santé : alimentation saine, air, eau, soleil, sommeil, exercices, repos, équilibre émotionnel. Ces impératifs tiennent comptent de la « psyché » et du « soma », le corps physique.

1) Il faut immédiatement corriger le mode de vie et les causes des troubles doivent être absolument éliminées (mauvaise alimentation déséquilibrée, carencée, polluée, manque de sommeil, de rythme, énervement et stress).

2) Restaurer l'énergie nerveuse en mettant l'organisme au repos aussi longtemps que

nécessaire, afin qu'il puisse rétablir ses fonctions de nutrition et de drainage, c'est-à-dire restaurer le pouvoir fonctionnel.

3) Faire appel aux facteurs naturels de santé : alimentation naturelle bien équilibrée (voir fiche *Alimentation*, inspirée pour une part de l'hygiénisme), exercice, repos, calme... en tenant compte des capacités physiologiques du moment et des améliorations progressives. Une grande importance est donnée au repos physiologique assuré par le repos, et aussi par une diminution sensible — voire l'abstention temporaire (jeûne) — de nourriture, pour permettre à l'organisme de se consacrer aux tâches de désintoxication et de régénération.

3. Indication

La psychosomatique naturelle n'est pas une thérapeutique. Elle est plutôt une sorte de prise en charge de soi-même, qui apporte beaucoup au malade. Encore faut-il que celui-ci veuille vraiment s'en sortir (risque de blocage inconscient). Elle n'est pas incompatible avec les thérapeutiques du cancer, mêmes celles « côté cour », aussi paradoxal que cela puisse paraître à condition qu'elles soient employées à bon escient. Elle a plus d'affinités avec les thérapeutiques stimulantes du système immunitaire.

Où s'adresser : VIE ET ACTION, 388, bd Joseph-Ricord, 06140 Vence. Tél. : (93) 58.23.06, édite une revue et des brochures et livres, dont le « Cours de psychosomatique naturelle » de André Passebecq, président de l'association et enseignant à l'Université de Bobigny.

L'hyperthermie

1. Identité

Depuis les années 20 jusqu'à nos jours se succèdent des travaux qui démontrent les effets de l'élévation de la température sur les plantes, les animaux et sur l'homme. A partir de 1956, le professeur André Lwoff, plus tard prix Nobel de Médecine, et ses collaborateurs, font paraître une série de publications qui montrent que la plupart des bactéries et des virus, en particulier ceux de la grippe, de la poliomyélite et de la fièvre aphteuse sont incapables de se développer lorsque la fièvre atteint et dépasse la température de 39°-39,5°.

Le médecin et chercheur Larkin a étudié récemment l'influence de l'hyperthermie sur l'évolution du cancer chez l'homme. En soumettant vingt malades atteints d'un cancer au stade terminal à une hyperthermie de 42,2° pendant 2 heures, trois fois de suite à 8 jours d'intervalle, soit au total pendant une durée de 6 heures, il a pu obtenir une régression du volume de la tumeur de 50 % chez 14 des 20 malades ainsi traités.

Ces travaux prouvent la validité thérapeutique de la fièvre dans le cancer. Et l'hyperthermie provoquée commence à être pratiquée en cancérologie officielle. Mais la meilleure fièvre est celle qui se déclenche à l'intérieur de l'organisme, à la suite d'un bain chaud ou de traitements de terrains comme le viscum album, la biothérapie gazeuse, l'oxygénothérapie (en particulier l'oxygénothérapie biocatalytique). Le problème vient en effet du fait que le cancer est une « maladie froide », terme qui vient de la médecine anthroposophique. Ceci est aussi un fait d'observation : jamais un cancéreux ne fait de fièvre spontanément (sauf en cas de guérison). Il semble que son organisme se trouve dans un état d'anergie tel qu'il est incapable de développer une fièvre. C'est aussi à mettre en relation avec les théories selon lesquelles (Warburg et Jacquier) la cellule cancéreuse est en état d'anaérobie.

2. Action

C'est l'hypothalamus, sorte de thermostat situé à la base de notre cerveau, qui règle la température du corps. Lorsqu'un agent pathogène pénètre dans l'organisme, les leucocytes qui sont notre première défense réagissent, attaquent l'intrus et l'avalent. Au cours de cette digestion, une protéine appelée pyrotégène endogène est libérée et envoyée comme messagère à l'hypothalamus, lequel enclenche l'élévation de la température.

L'organisme libère de l'énergie et met en branle un certain nombre de processus : augmentation du métabolisme cellulaire, de la vasoconstriction cutanée, de l'activité musculaire. La fièvre agit ainsi sur le système immunitaire en favorisant la mobilité et la virulence des leucocytes, en provoquant la production d'interféron, substance anti-virale et anti-cancéreuse, et en accélérant la prolifération des lymphocytes, types de globules blancs. On voit tout l'intérêt de cette mise en marche de l'organisme dans le traitement du cancer.

3. L'hyperthermie provoquée

L'hyperthermie provoquée a fait l'objet dans le monde entier d'un grand nombre de travaux. Le moyen utilisé : les bains à hautes températures (42°). La personne se couvre totalement d'eau à 36° et augmente progressivement la température de l'eau jusqu'à 42° si possible.

Seuls son front, les yeux et le nez doivent dépasser. Les cardiaques s'abstiennent ou font très attention dès le dépassement des 40°, le cœur est à surveiller dans tous les cas. On peut ajouter des plantes (en infusion, sels ou huiles) et la durée du bain ne doit pas excéder une heure. Suivre d'un brossage de la peau et d'un enveloppement sudatif et se coucher dans un lit très chaud.

4. L'hyperthermie naturelle

L'exercice physique constitue le moyen le plus simple pour stimuler le métabolisme. La marche à pied quotidienne est le minimum indispensable qu'il convient d'obtenir du cancéreux. Dès que l'état le permet, augmenter progressivement l'effort physique : footing quotidien, autres sports. L'exercice physique a la vertu d'augmenter la température de l'organisme (hyperthermie endogène), mais a aussi une grande importance psychologique dans la mesure où il s'agit d'une activité positive qui va dans le sens d'une appropriation par le malade de son corps, donc de sa maladie.

Immunothérapie

1. Identité

L'immunothérapie consiste à protéger un organisme contre l'agression d'une substance étrangère (antigène) au moyen d'anticorps spécifiques apportés à cet organisme. Elle est fondée sur l'identification des antigènes associés à la tumeur, cibles spécifiques d'une attaque par des cellules immunocompétentes ou par des anticorps. Le problème, c'est de pouvoir identifier précisément ces antigènes tumoraux chez l'homme, alors que l'on en a identifié une multitude chez l'animal.

« Nous vivons les enfances de l'immunothérapie. Les résultats sont encore imprévisibles, mal observables, peu reproductibles et donc controversés... » écrit le Pr. Israël de cette application de l'immunologie, une science médicale pleine de promesse qui *« pratique la médecine de terrain comme M. jourdain pratiquait la prose »* dit le Dr Rueff.

Le développement récent d'une branche toute neuve de l'immunologie, l'immunogénétique, donne corps à cette convergence entre médecines. Jean Dausset, qui a découvert le système H.L.A. (Human Leucocyte Antigène) fut un précurseur. De nombreuses recherches ont montré le lien entre certaines maladies et les groupes tissulaires, catégories où l'on range tous les individus en fonction des variétés d'antigènes H.L.A. qu'ils possèdent. Les antigènes H.L.A. sont situés sur la membrane des cellules et dépendent de gènes H.L.A. situés sur des régions symétriques des 2 chromosomes de la 6e paire, régions formant le complexe H.L.A. qui caractérise la personnalité de l'individu, et ses réactions de défenses. En matière de cancérologie, on a découvert des corrélations indiscutables entre le complexe H.L.A. de certaines personnes et la susceptibilité à certains virus oncogènes, avec la maladie de Hodgkin, la leucémie aiguë lymphoblastique, la polypose intestinale, le mélanosarcome métastatique et le tératocarcinome testiculaire.

2. Action

Trois voies d'approches principales sont utilisées en immunothérapie : active et passive, et une concernant une action locale au niveau de la peau.

a) l'immunothérapie passive : Elle implique le transfert d'un sérum humain chez l'hôte qui porte la tumeur. D'après le Dr Lagarde, les sérums immuns, les immunoglobines, se révèlent peu efficaces sur les cancers, mais peuvent être d'un grand secours dans les complications infectieuses. Trois produits, la SÉROCYTOTHÉRAPIE de THOMAS, la DIRIBIOTINE et le VACCIN DU DR MARUYAMA sont utilisés par les médecins marginalisés.

b) l'immunothérapie active : L'immunothérapie active spécifique consiste en une immunisation de l'hôte par des cellules tumorales ou leurs extraits. L'immunothérapie active non spécifique (comme la spécifique) vise à stimuler ou à déclencher les propres réactions immunitaires de l'individu. On utilise le B.C.G. ou d'autres substances dérivées ou non (Eubioton). Les essais faits avec le B.C.G. ont donné quelques résultats après chirurgie dans les mélanomes malins de stade 2 et après chimiothérapie dans la leucémie myéloblastique aiguë.

Mais l'immunothérapie active peut s'avérer dangereuse en cas d'épuisement des systèmes immunitaires, altérations mises en évidence par la fiche réticulo-endothéliale différentielle et l'indice immunitaire (Augusti). (Voir les fiches de ces tests.)

c) l'immunothérapie adoptive : On fournit au malade des cellules immuno-compétentes par des injections de globules blancs, par une greffe de moelle osseuse ou une injection locale de cellules lymphoïdes. La greffe de moelle osseuse est une des applications de l'immunogénétique, mais celle-ci, comme les autres injections, sont encore très difficiles à réaliser du fait des réactions d'incompatibilité.

La thymusthérapie du Dr Sandberg

1. Identité

La thymusthérapie du Dr Sandberg consiste en injections, intra-musculaires ou sous-cutanées, d'extraits entiers de thymus de veau — le fameux ris-de-veau — de très jeunes animaux. Ce traitement a été mis au point par ce médecin suédois à partir de 1938, en soignant son jeune frère qui souffrait d'une grave tuberculose pulmonaire. Le résultat obtenu l'incita à étudier les rapports thymus-tuberculose, et à engager une recherche fondamentale sur le thymus des bovins. Il s'est ensuite lancé dans la clinique et a soigné par cette méthode 50 000 personnes, dont plusieurs milliers de cancéreux. Cette thérapie, comme la cellulothérapie de Niehans, est surtout connue pour son action revitalisante chez les personnes âgées. Mais l'une de ses indications majeures semble être le cancer.

2. Action

Comme tout ce qui touche à l'immunité, le thymus était une glande mal-aimée de notre science médicale. On ne s'y intéressait pas, donc elle n'existait pas, même cliniquement, ou elle disparaissait après la puberté. Des recherches récentes ont confirmé celles menées par Sandberg. Le thymus est une pièce maîtresse du système immunitaire en tant que producteur des lymphocytes T, T comme Thymus, organe dans lequel ces lymphocytes sont nés ou ont séjourné pour y acquérir certains caractères (Lire J.F. Bach « Le thymus, organe clef de l'immunité », Nouvelle presse médicale, 3 : 574, 1974).

Les lymphocytes T comportent des sous-groupes T inducteurs, T suppresseurs, T coopératives, T cytoxiques qui tantôt inhibent, tantôt activent la production des anticorps par l'autre famille des lymphocytes, B, qui sont fabriqués dans la moelle des os. C'est l'interaction entre cellules T et B qui joue un rôle considérable vis-à-vis des antigènes extérieurs (agressions bactériennes ou virales) et des antigènes intérieurs produits à l'intérieur de l'organisme.

Un biologiste de l'Université de Harvard, Carroll Williams, a découvert récemment une des hormones également sécrétées par le thymus, la thymusine, qui donnerait leur caractère immunologique aux lymphocytes passant par le thymus. Mieux encore, on pense que celui-ci peut aussi agir à distance par l'action de ces hormones.

On voit toute la complexité de l'action du thymus, lequel joue un rôle vital durant toute notre vie. C'est à cause de cette complexité que le Dr Sandberg préconise l'emploi comme médicament du thymus entier, le THYMEX-L.

3. Indications

Le THX est utilisé dans toutes les maladies d'immunodéficience, allergies, asthme, rhumatismes, polyarthrites, arthroses, lupus érythémateux, troubles des cellules hépatiques, troubles parenchymateux rénaux.

La thérapeutique s'est avérée efficace dans des tumeurs malignes existantes : cancer du sein, du poumon, de l'abdomen, de la prostate et de la maladie de Hodgkin. Elle est aussi curative que préventive.

4. Contre-indications

Hémorragies, traitement à la cortisone (il faut une désintoxication de six mois), aux hormones-N.N.R. et premiers mois de grossesse.

5. Utilisation

La thymusthérapie est administrée sous la forme d'injections d'extraits de thymus frais ou lyophilisés. Le thymus frais n'est pas la forme la plus répandue. Comme pour la cellulothérapie, le thymus frais est délivré dans des centres sous forme de cure, 50 % pour la sénescence, 50 % pour les maladies graves. Sa forme lyophilisée est la plus répandue. Le Dr Pesic, dauphin allemand du Dr Sandberg, a mis au point dans son laboratoire un extrait lyophilisé, le THYMEX-L, qui a des propriétés de désamination et de peptisation.

Où s'adresser : L'association internationale de thymusthérapie, dont le Dr Pesic fut le président-fondateur, compte plus de 1 000 praticiens. Quelques médecins français pratiquent cette thérapie, mais il est souvent difficile de les connaître du

fait de la répression de l'Ordre et des autorités depuis la condamnation, en 1956, par l'Académie de Médecine, des injections de cellules animales (voir *Organothérapie-cellulothérapie*). Bien que la thymusthérapie ne soit pas une injection de cellules, ces médecins risquent gros. Tout médecin de terrain pourrait cependant mettre en œuvre cette thérapeutique. Pour tout renseignement prendre contact avec la Fédération des G.U.S. Renseignements techniques et médicaments : Dr Med. Milan PESIC Schmiedestrasse 9 D-3388 BAD HARZBURG 1.
Tél. : (05322) 20 33/20.34.

Le sérum d'hépatite A du Dr Soussan

1. Identité

Cette thérapie a été mise au point par le docteur Soussan à partir de 1967, lorsqu'il a constaté la disparition surprenante de tous les symptômes chez un malade atteint d'un cancer de la vessie à un stade avancé (à la suite d'une hépatite virale A qui ne dura que 8 jours). Le malade, qui recevait plusieurs ampoules de morphine par jour pour calmer sa douleur, ne souffrait plus et ne présentait plus d'hématuries. Depuis, de nombreux malades ont été traités, et les meilleurs résultats sont obtenus chez ceux qui n'ont pas subi de chimiothérapie ou de radiothérapie. Cependant, lorsque le foie est totalement envahi par la tumeur, le traitement est sans effet.

2. Action

Il ne s'agit ici que d'hypothèses faites à partir d'observations. Le sérum semble agir de façon directe et rapide lorsqu'il entre en contact avec la tumeur. On assiste alors rapidement à une nécrose en masse (observation : cancer de la langue). Lorsque le sérum n'entre pas en contact direct avec la tumeur, la destruction est plus lente (plusieurs mois). Il est probable que le sérum agit par l'intermédiaire du système immunitaire. Les phénomènes de nécrose sont plus discrets et la sclérose prédomine.

Les échecs de cette thérapie seraient dus à la lenteur de son action, surtout chez des malades au potentiel immunitaire délabré par les thérapeutiques immuno-suppressives.

Pendant le traitement, on observe une légère hyperthermie et une accélération du rythme cardiaque. Après quelques semaines de traitement, on assiste à une disparition des douleurs, une reprise de l'appétit et du poids, et une amélioration de l'état général et du confort du malade. Les examens radiologiques montrent une régression des images pathologiques. Les examens histologiques montrent une nécrose et une sclérose de la tumeur et, dans certains cas, la disparition des cellules cancéreuses.

3. Mode d'administration

L'administration comme l'expérimentation ont été faites sous forme de gouttes ingérées oralement. Le traitement, une prise par mois, dure en fonction du stade de la maladie et « jusqu'à obtention de la guérison ». Il serait sans danger. Les tests hépatiques ne sont pas perturbés.

Interféron

1. Identité

L'interféron est une protéine sécrétée par les cellules pour arrêter l'action du virus. Elle agit comme un anticorps et semble la première ligne de défense de l'organisme. Elle a été découverte en 1957 par les chercheurs Issacs et Lindenman, du National Institut for Medical Research de Londres. Ils ont appelé interféron la substance rendant résistante à l'infection d'autres virus, la cellule déjà infectée par un virus inactivé. De nombreux travaux faits dans le monde entier ont par la suite confirmé l'activité anti-virale de cette substance.

Certains chercheurs, s'appuyant sur la théorie de l'origine virale des cancers, orientèrent leurs travaux dans cette direction. Deux obstacles bloquèrent longtemps cette recherche. Le fait que l'interféron était d'espèce spécifique, c'est-à-dire que seul l'interféron d'origine humaine agit sur l'homme, et le fait que sa fabrication était, dans ces conditions, très difficile en grandes quantités. Or, en matière de cancer, la durée du traitement et les doses importantes nécessaires demandaient beaucoup plus d'interféron que l'on était capable d'en produire. La pénurie, comme le procédé de fabrication à partir de cellules humaines, ce qui occasionnait une certaine impureté du produit, ont fini par entretenir un espoir et créer un mythe.

Le terrain était ainsi bien préparé, dans les années 80, lorsqu'un progrès des biotechnologies permit de produire de l'interféron à partir de bactéries communes. Quelques mandarins, liés à des multinationales en état de concurrence, firent des déclarations fracassantes, relayés par les médias (sauf L'Impatient...). Le médicament miracle du cancer était né ! Tout ceci alors que les résultats connus n'inspiraient pas beaucoup d'optimisme. Le nouveau ministre de la Santé, M. Ralite, en véritable néophyte, se laissa aussi prendre, et l'on chargea l'Institut Pasteur de relever le défi technologique... jusqu'au moment où les accidents ont été si importants et nombreux que le même ministre interdit l'expérimentation de l'interféron dans les hôpitaux français.

2. Action

a) côté cour : Sur le cancer, l'interféron agit comme une chimiothérapie. Bien supporté par l'organisme à petites doses, en thérapeutique anti-virale, il devient toxique à hautes doses. Certains chercheurs mettent les problèmes rencontrés sur le compte de son impureté. Cependant les apports de la recherche fondamentale concernant le rôle important de l'interféron existent.

La recherche hospitalière a ouvert une autre voie. Au lieu d'apporter à l'organisme un interféron étranger, on cherche aujourd'hui à en provoquer la production par des « inducteurs d'interféron ». On utilise des substances comme le B.C.G., le Corynébactérium, l'Aspergillus. Mais les résultats, inconstants, ne sont pas probants.

b) côté jardin : Pourquoi alors ne pas profiter des indications d'un prix Nobel de chimie, Linus Pauling ? D'après lui, la vitamine C favoriserait la synthèse et la production de l'interféron par les lymphocytes (voir *Vitamine C*). Pourquoi ne pas expérimenter d'autres « inducteurs d'interféron » que sont sans doute les physiatrons synthétiques, le Carzodelan, le Viscum Album fermenté, la Biothérapie gazeuse... Toutes les thérapeutiques qui provoquent la fièvre favorisent la production d'interféron (voir *Hyperthermie, Oxygénothérapies).*

Jeûne

1. Identité

Le jeûne, c'est s'abstenir temporairement de toute nourriture solide ou liquide (sauf de l'eau pure). Le jeûne, comme arme contre le cancer, est à manier avec très grande prudence et toujours sous étroite surveillance médicale, de préférence dans une clinique ou un centre de jeûne. Toutes les recherches confirment en effet que l'organisme du cancéreux a besoin d'être alimenté, notamment en protéines. Un des effets secondaires des médecines dures (chimiothérapie, radiothérapie) consiste d'ailleurs souvent en une perte d'appétit, ce qui conduit le malade à manger de moins en moins. L'homme, dont la santé s'altère, perd aussi son appétit. Il est très important dans les deux cas, d'une part, de continuer à s'alimenter (voir *Alimentation*), et d'autre part de donner sa vraie place au jeûne ou à la diète.

2. Action

On peut envisager le jeûne dans les *troubles aigus*, où il est important de ne pas surcharger le pôle métabolique. L'organisme a besoin de toute son énergie pour lutter contre la maladie, et si l'on ne réduit pas sa consommation ou même si on ne s'abstient pas parfois de toute nourriture, on risque de monopoliser une partie de cette énergie pour la digestion. Celle-ci se fait mal car l'énergie n'est pas suffisante. L'intoxication venant des aliments non digérés s'ajoute alors aux troubles déjà existants.

On peut aussi envisager le jeûne pour aider le corps à se débarrasser de ses toxines. Yves Vivini (« La bouffe ou la vie ») comme de nombreux naturopathes, considère en effet la formation d'une tumeur cancéreuse comme la traduction d'un essai de rejet par l'organisme de ses toxines. Pour une guérison réelle, il faut faciliter leur élimination en aidant l'organisme par le jeûne.

Ceci n'est pas facile, car la cause du cancer, une déficience des émonctoires, va interférer sur l'élimination. Par le jeûne, les déchets des cellules vont entrer dans la circulation générale et encombrer des émonctoires déjà faibles (reins, foie, poumons). C'est comme cela que l'on explique un certain nombre d'accidents survenus lors des jeûnes et la difficulté de cette thérapeutique.

Le thérapeute doit donc accompagner le jeûne par des traitements visant à revitaliser les émonctoires, ce que font d'ailleurs systématiquement tous les médecins de terrain.

Yves Vivini appelle « médecine biotique » plusieurs techniques, accompagnant le jeûne visant à ouvrir un émonctoire puissant de l'organisme, la peau. Il s'agit du sauna, de la sudation humide ozonisée, de la balnéothérapie, etc. (techniques qui sont adjuvantes à la sérocytothérapie, au Viscum Album, aux physiatrons de Solomidès chez ce thérapeute). Désiré Mérien, pour éviter ces inconvénients du jeûne, a inventé, lui, le jeûne par paliers.

Le Dr Rueff, réticent pour un jeûne prolongé, ceci en accord avec beaucoup d'autres thérapeutes, est pour la réhabilitation d'un jeûne hebdomadaire qui est finalement le fameux vendredi maigre de la chrétienté. Dans ce domaine aussi, on n'a rien inventé.

3. Renseignements utiles

« La bouffe ou la vie » par Yves Vivini, Éd. Le François.
« Le jeûne » par Shelton, Éd. Le Courrier du Livre.

Médecine anthroposophique

1. Identité

La médecine anthroposophique a été fondée par Rudolph Steiner (1861-1925), docteur en philosophie d'origine autrichienne, dont l'œuvre et 6 000 conférences couvre à peu près tous les domaines d'application de la science : agriculture (biodynamique), pédagogie, sociologie, mathématiques, physique, architecture, médecine et biologie. En explorant tous ces champs, il met en œuvre une méthode scientifique qui s'appuie sur les travaux de Goethe et qui est un véritable pont entre le sensible et le suprasensible. Il s'agit d'une méthode d'investigation rigoureuse qui ne nie pas la science matérialiste, celle qui ne s'intéresse qu'à ce qui est mesurable... par les moyens actuels, mais vise à la dépasser d'une façon aussi scientifique que rationnelle.

Rudoph Steiner appréhende l'homme dans sa globalité. D'après lui, nous sommes composés de quatre éléments constitutifs : le corps physique, le corps éthérique, le corps astral et le MOI.

Le *corps physique,* le seul accessible à nos sens et le seul à être pris en compte par la médecine actuelle, c'est le « ramassis de molécules » qui entre dans la constitution humaine et que nous partageons avec le monde minéral : carbone, hydrogène, azote, soufre, fer...

Le *corps éthérique,* corps de vie ou corps des forces formatrices, caractérise le vivant. Il est défini comme un champ de forces différentes selon les espèces et les individus. C'est lui qui nous donne notre forme, qui modèle la matière inorganisée, par lui nous sommes « en parenté » avec le règne végétal.

Le *corps astral* est apparu avec le règne animal. C'est le système nerveux qui fait des êtres vivants des êtres sensibles sur les plans somatique et psychique.

Enfin, le *moi* nous donne ses facultés propres au nombre de trois : la conscience de soi, la parole articulée et la station debout. Il nous donne la faculté de créer, la base de nos processus immunitaires.

Les quatre éléments, dont seul le corps physique est pris en compte par la science et la médecine officielle. Ces quatre éléments ont des interactions complexes. Ils sont d'abord couplés deux à deux, les corps physique et éthérique formant le complexe inférieur, le corps astral et le moi formant le complexe supérieur. Au niveau du pôle céphalique (neurosensoriel), le complexe supérieur formé du corps astral et du moi se tient en retrait par rapport au complexe inférieur (physique et éthérique). L'Astral est ainsi disponible pour la perception du monde extérieur, et le Moi pour les processus de conscience. Inversement, au niveau du pôle métabolique (digestion, assimilation, régénération), le Moi et l'Astral sont étroitement liés à la substance organique qu'ils vitalisent ; ici, point de conscience...

Nous sommes ainsi en présence d'une dynamique double, une dynamique neuro-sensorielle au pôle céphalique, où siège la conscience mais où la vie s'étiole, une dynamique métabolique où siège la vie, mais où la conscience disparaît. Pour maintenir un échange et un équilibre entre les deux, le pôle rythmique intervient avec ses rythmes cardiaques et respiratoires, qui s'adaptent en fonction des besoins.

2. La nature du cancer

La maladie intervient lorsque ce système, véritable tripartition fonctionnelle, est grippé. Ainsi, il peut arriver que le Moi, dont le rôle est de maintenir notre identité et notre intégrité, devienne trop faible (dans sa dynamique métabolique) et n'effectue plus correctement son travail d'identification des substances, alimentaires ou autres, que nous sommes amenés à ingérer, à respirer ou à côtoyer.

Le Moi alors déficient, envoie des ordres erronés à l'Astral qui est chargé d'exprimer « sympathies » et « antipathies » vis-à-vis des substances bonnes ou nocives à l'organisme. S'il continue de bien fonctionner, il ne fera plus le tri et rejettera à tort et à travers substances nuisibles ou anodines (poussières, pollen...) : nous sommes en présence d'une *allergie*. Ce drame de la non-information peut aller jusqu'au rejet ou à la destruction de sa propre substance organique (maladies auto-immunes : sclérose en plaques...).

En cas de *cancer*, à la défaillance du Moi s'ajoute celle de l'Astral. Au phénomène de non-information s'ajoute celui de la non-réaction. L'organisme se laisse ainsi envahir par des éléments hostiles à la vie qui prolifèrent impunément : les cellules cancéreuses. Celles-ci peuvent aussi avoir une origine interne. Si par suite d'un état de stress ou de choc psychologique, le Moi et l'Astral se retirent d'une partie de l'organisme du fait de leur faiblesse, les forces végétatives du corps éthérique croissent sans limite. Cette multiplication anarchique cellulaire constitue le cancer.

3. Le traitement

Le médecin anthroposophe s'appuie sur cette compréhension de la nature du cancer pour soigner cette maladie d'une façon globale, aidé par un traitement plus spécifique, la Viscumthérapie (voir fiche). Un médecin anthroposophe alsacien, inventeur de la biothérapie gazeuse (voir cette fiche) base aussi cette nouvelle thérapie sur ces principes.

La thérapeutique « a-spécifique » porte ses efforts dans trois directions :

a) décharger le pôle neurosensoriel : Par une hygiène de vie, une préservation des bruits et une réduction du rythme de vie moderne...

b) favoriser l'action du Moi et de l'Astral : En soulageant le pôle métabolique (digestif) par un régime approprié à base de produits biodynamiques de préférence (de culture biologique, dont la base a été jetée par Steiner). Éviter notamment de manger pommes de terre et tomates (voir *Alimentation*). Par le jeûne sous contrôle médical :

— stimulant le foie, organe central du métabolisme ;

— pratiquant l'exercice physique en commençant par une marche à pied quotidienne ;

— stimulant la fièvre, processus de guérison qui traduit l'effort du Moi pour reprendre le contrôle de l'organisme ;

— provoquant l'hyperthermie (voir *Hyperthermie*) ;

— reconstruisant le Moi par l'eurythmie (danse énergétique, libre) par la musicothérapie, des travaux artistiques (peinture, sculpture...) et différentes techniques selon les indications de Steiner.

c) soutenir la région rythmique :

— Le cœur et la circulation par des remèdes.

— Les poumons, en maintenant une bonne ventilation pulmonaire par l'exercice physique, par l'inhalation d'un air sain, ionisé négativement (voir *Oxygénothérapie*, bol d'air Jacquier) « Vivre si c'est possible loin, au grand air, loin des grands centres et respirer à pleins poumons » a dit Warburg en 1955, le prix Nobel, père d'une théorie qui va dans le même sens que la médecine anthroposophique.

4. Source

Notamment les écrits du Dr R. Fix dans « La biothérapie gazeuse » Éd. Sibig, 14, bd du Champ-de-Mars, 68000 Colmar et « Méthodes complémentaires de dépistage et de soin du cancer » Santé Université Nature 6, rue Colonel-Manhes, 38400 Saint-Martin-d'Hères.

Métaux de Vernes

I. Identité

Les solutés injectables de Vernes sont des solutions métalliques mises au point à partir de 1934, en même temps que la réaction dite de « Vernes-cuivre », un test de dépistage et de surveillance de l'état cancéreux (voir fiche *Test de Vernes*). Les solutés métalliques sont nombreux : carbone colloïdal, praséodyme, sélénium, iridium, or, chrome, osmium, vanadium, palladium, bore, magnésium, cuivre, plomb, péréthynol. Un arsenal thérapeutique qui constitue une véritable batterie de médicaments, et que l'on administre, l'un après l'autre, par cures de 7 à 10 jours. Ces solutés sont atoxiques (à part le plomb).

Ce mode d'administration vient du fait que le thérapeute a observé, au moyen de son test, qu'un médicament perd son pouvoir au bout d'un certain temps. Il a appelé « brachèse », cette succession de courtes séances thérapeutiques.

2. Action

Le Professeur Étienne Guillé, de la Faculté des Sciences d'Orsay, a, par des travaux récents, démontré le rôle important joué par les métaux dans la genèse du cancer. Tout se joue dans la phase de reproduction de la cellule (pendant la mitose), lorsque les acides aminés se dédoublent. La concentration en métaux du noyau de la cellule peut alors atteindre jusqu'à 100 fois la concentration au repos. Il peut alors y avoir carence ou substitution de certains métaux se trouvant à une place bien déterminée de notre code génétique. Pollution, mauvaise alimentation, tabagie, stress influent sur cette concentration en métaux.

3. Le traitement

Pour le Dr Janet, les solutés de Vernes constituent le seul traitement spécifique de la maladie cancéreuse actuellement connu. Leur action est due à l'insolubilisation, dans les tissus, de constituants pathologiques du sérum, ce qui déclenche, comme le ferait un vaccin, toute la chaîne des réactions de défense. Parmi les solutés, le carbone colloïdal occupe une place particulière. Il provoque la mise en alerte des phagocytes, globules blancs qui mangent les microbes étrangers, et qui activent tous les moyens de défense. On les donne toujours en début de série.

En complément de ce traitement général, le Dr Janet va s'attaquer aux facteurs de localisation de la tumeur, par exemple par l'ionocinèse. Si un point faible apparaît dans les analyses, par exemple le foie, il va traiter cet organe en l'aidant par un extrait de chardon (Légalon) ou d'artichaut (Chlophytol). Pour renforcer l'état général de l'organisme, il va lui fournir des facteurs d'activations biologiques, silicium organique, magnésium, vitamines, oligo-éléments. Enfin, lorsque la prolifération cellulaire est pratiquement stoppée, voilà enfin l'heure de l'opération chirurgicale, qui parachève le traitement entrepris. Des solutés de Vernes encore quelque temps, des analyses de plus en plus espacées, c'est un des traitements (très résumé) d'un des cinq mille malades que le Dr Vernes affirme avoir ainsi soigné depuis plus de vingt ans. il s'agissait ici d'un cancer du sein.

La grande originalité de ce traitement consiste dans la surveillance continuelle de l'effet des médicaments par la cancérométrie de Vernes, et d'Augusti (voir ces tests) et l'effet de synergie des différents traitements où la frontière entre le côté cour et le côté jardin n'a aucun sens. Cette pratique est d'ailleurs celle de tous les thérapeutes de médecine « parallèle » que je cite dans cet ouvrage.

4. Bibliographie

« Objectif cancer » du Dr J. Janet, Éd. Bionat, 1980.
« Choisir la vie » du Dr Rueff.

Organothérapie

La thérapie cellulaire du Dr Niehans

1. Identité

La cellulothérapie du Dr Niehans est une thérapeutique de type biologique basée sur « l'implantation par injection de cellules provenant de fœtus d'animaux ou de tissus glandulaires de jeunes animaux ». Elle est connue surtout grâce à la presse à sensation, qui périodiquement met en valeur son action de rajeunissement chez des personnalités et hommes célèbres. Mise au point à partir de 1931 par un chirurgien suisse, le Dr Paul Niehans, cette thérapeutique a été condamnée en France par l'Académie de Médecine en 1958, alors qu'elle est tolérée dans les pays anglo-saxons et en Suisse où elle est pratiquée dans des centres ou maisons de cure. Marginisalisée, voire interdite, la cellulothérapie a pourtant ses lettres de noblesse et fait partie intégrante de la Médecine (depuis la plus haute antiquité) de l'Extrême-Orient, de l'Inde, de l'Amérique indienne, de l'Europe même, où le Grec Aristote en fut partisan. Paracelse, un médecin rhénan de la Renaissance, Brown-Séquard, le successeur de Claude Bernard en 1889, les Russes Voronoff et Virchow, le médecin français Alexis Carrel au début du siècle, sont les derniers maillons d'une longue chaîne. Quelques médecins français la pratiquent, malgré l'interdit. Nous sommes ainsi dans une situation paradoxale et inquiétante : on soigne aujourd'hui, très discrètement, à l'aide de fœtus humains, alors que le traitement par les fœtus d'animaux est interdit...

2. Action

« Le cœur guérit le cœur, le rein guérit le rein » écrivait au début du XVIe siècle Paracelse. En 1931, le Dr Paul Niehans va sauver de la mort certaine une femme opérée dont les glandes thyroïdes avaient été accidentellement altérées. Dans l'incapacité de lui transplanter des glandes thyroïdes animales, vu son état, Niehans, intuitivement, hacha menu celles-ci, les mélangea dans un serum physiologique et les injecta. La femme fut sauvée et Niehans eut l'idée par la suite d'implanter ainsi toutes sortes de tissus tels que le cœur, foie, reins, cerveau... à partir de cellules en provenance de fœtus de mouton principalement.

Pourquoi cette utilisation de fœtus ? Pour éviter ce que la médecine objecte à la cellulothérapie, les allergies et autres rejets d'un corps étranger. Le fœtus a cet avantage de ne pas avoir encore développé d'activité immunitaire propre. Il constitue un implant toléré. Dans un fœtus, les glandes telles que thymus, testicules, ovaires, cortex surrénal, glande pituitaire ne sont ainsi pas suffisamment développées. Le cellulothérapeute les prend chez de jeunes animaux, généralement le veau. L'effet thérapeutique de ces injections cellulaires est complexe : celles-ci agissent au niveau de la cellule — l'organisme primaire qui n'a pas encore fini de livrer des secrets — et l'on n'a pas fini d'en cerner les effets, malgré les innombrables travaux effectués en Allemagne et dans le monde depuis une quarantaine d'années.

Le principe du traitement consiste à donner à l'organe malade des cellules de l'organe sain correspondant de l'animal. Les travaux du Pr. Schmid, puis ceux du Pr. Lettre, tous deux de l'université de Heidelberg (Allemagne), ont montré que les cellules et tissus du donneur animal sont transportés immédiatement du lieu d'injection aux organes et tissus similaires de l'organisme humain dans la circulation sanguine. On a suivi ce cheminement de cellules injectées, marquées par des substances radioactives, avec un compteur Geiger.

La cellule animale une fois à pied d'œuvre, il semble que la cellule humaine correspondante l'utilise, grâce à son système d'auto-organisation, pour restaurer sa vitalité. C'est ce qu'ont démontré les travaux du Pr. Weiss de l'Institut Rockefeller de New York, des travaux qui constituent une ligne directrice pour les recherches effectuées par près de 40 professeurs d'Université de la Société Internationale de Recherche en Thérapeutique cellulaire sous l'égide du Pr. Kment, de l'Université de Vienne.

Dans « La thérapeutique cellulaire », le Dr Franklin Bircher, dauphin de Niehans, démontre l'action de la thérapeutique cellulaire sur le métabolisme énergétique et sur le métabolisme intermédiaire qui préside à toutes les transformations nécessaires à la vie. Nous retrouvons là d'une part les effets de l'oxygénothérapie sur la respiration cellulaire et ceux des enzymes et des vitamines sur le métabolisme intermédiaire (voir ces fiches).

Une théorie met l'accent sur l'action de la cellulothérapie sur le système immunitaire, lequel reçoit un véritable coup de fouet (production d'anticorps, d'interféron...).

3. Indications

Les indications de la cellulothérapie sont nombreuses : sénescence, mongolisme et séquelles d'encéphalite, affections psychiques graves, maladies de peau, allergies, maladies chroniques dégénératives des vaisseaux et du tissu conjonctif (artérite, arthrose, maladies cardiovasculaires) et cancer.

Dans ce domaine, le Dr Niehans a préconisé l'injection de cellules de thyroïde et parathyroïde, thymus, rate, pour leur effet inhibiteur. Des recherches sur les animaux ont prouvé l'effet cytostatique de cellules du système réticulo-endothélial (SRE) et du placenta. Des cellules du tissu conjonctif, du placenta et des testicules stimulent la vitalité du cancéreux (voir bibliographie).

De nombreux travaux et « expérimentations » sur l'homme, cités par Franz Schmid dans son livre « Zelltherapie » (voir bibliographie) démontrent l'effet protecteur de cette thérapie en cas d'irradiations.

Pour le Dr Pesic, l'indication de la cellulothérapie est avant tout la maladie chronique, à caractère non aigu. Pour lui, cette thérapeutique est à manier avec précaution en cas de cancer avancé, car la tumeur pourrait se nourrir de la vitalité de l'injection. Il lui préfère dans ce cas la thymusthérapie. Si l'on veut une action rapide, il ne faut pas l'attendre non plus de la cellulothérapie, car elle commence à faire sentir ses effets au bout de cinq, six mois. Celle-ci est ainsi indiquée à titre *préventif*, dans les stades pré-cancéreux, et comme le relate en citant son propre cas, le Dr Galli, en cas de cancer débutant.

4. Contre-indications

Toutes les maladies infectieuses et inflammatoires, à l'exception de certains cas d'infections chroniques, sont des contre-indications. Avant de mettre en œuvre cette thérapie, il faut soigner ses kystes dentaires, l'amygdalite chronique par exemple.

Avant d'injecter des cellules fraîches, le Dr Valnet (voir bibliographie) préparait son patient pendant un mois ou deux par des médications détoxicantes (par la phytothérapie et l'aromathérapie) et le débarrassait des foyers d'infection éventuels : caries dentaires, rhino-pharyngées, furonculose... Tous les thérapeutes utilisent les « réactions d'Abderhalden » pour détecter un foyer infectieux externe ou interne.

5. Effets secondaires

Bien employée, la cellulothérapie n'est pas dangereuse selon tous les thérapeutes et les statistiques existantes. Ainsi en 1955 en Allemagne, on a enregistré 30 accidents pour 235 000 injections, à une époque où la thérapie en était encore à ses débuts.

Augmentation passagère de la température au-dessus de 38°, petite enflure ou rougeur à l'emplacement de la piqûre en cas d'injection de placenta, sont les seuls symptômes de réaction après l'injection.

6. Mode de préparation

Il y a trois sortes d'injections : les cellules fraîches, les cellules congelées et les cellules desséchées. Pour certains thérapeutes, les trois préparations se valent. Pour d'autres, non. Nous ne prendrons pas parti, tout en ayant une légère préférence pour le frais... Mais attention, il faut moins d'une demi-heure entre le prélèvement des cellules et leur injection, à cause du phénomène de décomposition des cellules isolées (autodigestion) et il faut également une stérilité totale depuis le prélèvement jusqu'à l'injection. Demandez à visiter les locaux...

7. Bibliographie

« Frischzellen » du Dr A. Gali Verlag GmbH-Edenkoben/Weinstr.

« Zelltherapie » de Dr F. Schmid 1981 440 p. Ott Verlag/RFA AG, Thun/Suisse.

« Docteur nature » Dr Jean Valnet, 1980, Fayard, 504 p. (p. 285 et suivantes). Lire aussi « Tous les espoirs de guérir » par Jean Palaiseul, Robert Laffont ; et plus technique sur l'action cellulaire : « La thérapeutique cellulaire » du Dr F. E. Bircher, Maloine-Paris, 1967.

Où s'adresser : Centres de cellules fraîches en Allemagne : Dr Gali Sanatorium, à Edenkoben/Weinstrasse.

Dr Pesic, Schmiedesstrasse 9, D-3388 Bad Harzburg.

Organothérapie immunothérapique
La sérocytothérapie du Dr Thomas

1. Identité

Les sérocytols ou sérums anti-tissulaires sont une immunothérapie spécifique qui a beaucoup de ressemblances avec la cellulothérapie. Ce sont des anticorps tissulaires d'animaux sains auxquels on a injecté des broyats homogénéisés d'organes provenant de fœtus d'une autre espèce de mammifère — ou d'animaux adultes pour les glandes (parathyroïde, glande mammaire). Ils se présentent sous formes d'injections (intramusculaire ou intradermique) et de suppositoires (qui sont les plus utilisés). Le Dr Jean Thomas (1902-1977), médecin français qui en est l'inventeur, a dû s'exiler à Lausanne en Suisse pour y fonder le Laboratoire de Sérocytologie. Il a gagné en mai 1981 le procès en diffamation intenté à « 50 millions de consommateurs » et au Pr. Escandre pour article diffamatoire.

2. Action

Les sérums anti-tissulaires, composés d'anticorps d'un ou de plusieurs organes produits par le système immunitaire de l'animal traité, ont une action complexe. Comme en cellulothérapie, le sérum utilisé agit sur l'organe homologue : un extrait de foie stimule les cellules hépatiques, un extrait rénal, les cellules néphrégiques, etc. L'expérimentation effectuée en divers hôpitaux de Paris, Beaujon, Sainte-Anne, Foch, apporte la preuve que les anticorps des sérums, marqués par les isotopes radioactifs, se fixent sur l'organe correspondant.

S'il y a des cellules cancéreuses dans cet organe, l'anticorps du sérum, une protéine étrangère qui se fixe sur la cellule cancéreuse, provoque la production d'anticorps et une réaction immunitaire. Les sérocytols auraient aussi une action de dissolution des tissus cancéreux (lyse cellulaire).

La pratique de nombreux thérapeutes et les résultats de cette thérapeutique confirment l'action de la sérocytothérapie en matière de cancer.

3. Indications

Il existe 80 sérocytols. En cancérologie, en dehors de toute indication spécifique au type de cancer, on en utilise sept. Le sérocytol « SRE », pour soutenir le système réticulo-endothélial ; le sérocytol « lympho », pour activer le système lymphocytaire ; le « diencéphale » et « sympathique total », pour lutter contre l'anxiété et les dérèglements du système neurovégétatif ; le sérocytol « émonctoire », « foie » pour activer les fonctions excrétrices ; « cœur », « cœur-vaisseaux », « cardio-pulmo-rénal », « faisceau de His » pour le cœur et système cardio-vasculaire ; « pulmoneural » contre les affections grippales (qui peuvent provoquer des flambées).

4. Contre-indications

Comme pour la cellulothérapie, il est déconseillé d'utiliser les sérums homologues pour un cancer en phase aiguë ou en évolutivité, et chez les cancéreux le sérocytol « embryon ». La forme intramusculaire est déconseillée (choc anaphylactique).

Où s'adresser : Production et documentation assurées par le Laboratoire de Sérocytologie, Beaurivage 6, CH 1006 Lausanne, Suisse.

Oxygénothérapies

L'ancêtre des différentes formes d'oxygénothérapie est sans conteste le prix Nobel allemand Warburg, qui dans la première moitié du siècle allie une pathologie de la respiration cellulaire et l'amorce du processus de cancérisation. La tumeur est en état d'anoxie, de sous-oxygénation, et il se produit un phénomène de fermentation avec une augmentation de consommation de glucose par la cellule. Différentes techniques d'oxygénation ont vu le jour, les unes consistant en un apport accru d'oxygène assimilable, les autres agissant sur le processus respiratoire de la cellule, le cycle de Krebs. Les thérapies basées sur l'oxygénation, au moins partiellement, sont l'ozonothérapie, l'oxygénation bio-catalytique, les physiatrons synthétiques, le coenzyme A, les cytochromes. L'oxygénation hyperbare et des médicaments radiosensibilisants sont utilisés dans la médecine officielle comme adjuvants des irradiations, et également dans la chimiothérapie.

I. L'ozonothérapie

1. Identité

L'ozone est un dérivé de l'oxygène produit par le passage d'oxygène sur un générateur à haute tension. Il se forme une molécule d'ozone instable ionisée (O_3) qui se décompose immédiatement en une molécule d'oxygène et un atome d'oxygène en dégageant une quantité de chaleur évaluée à 29 calories.

En usage thérapeutique, il est important que l'oxygène utilisé soit très pur. Les appareils qui fabriquent de l'ozone à partir de l'air ambiant produisant aussi des dérivés nitrés toxiques (lampe à ozone ou bains à l'ozone). L'ozone, découverte dès 1785, a été depuis Schonbein en 1840 — c'est lui qui lui a donné son nom — l'objet de nombreux travaux qui ont mis en valeur son puissant pouvoir microbicide et virulicide. En dehors de ses utilisations thérapeutiques, on s'en sert aussi pour stériliser les eaux potables.

2. Action

L'ozone, qui est en fait une combinaison d'ozone et d'oxygène négativée, est soit injecté par sous-cutanée, intramusculaire ou intraveineuse, soit donné par voie endorectale, soit introduit dans le corps par la peau au moyen de bains.

Il agit localement comme un puissant antiseptique (effet oxydant) et favorise la régénération cellulaire. Il agit sur l'équilibre général de l'organisme en augmentant le nombre des globules blancs et en modifiant la résistance osmotique (qui règle les échanges à travers la membrane de la cellule) des globules rouges. L'ozone a aussi une action de désintoxication par augmentation des processus d'élimination des toxines, une action de régulation de l'oxydo-réduction et de l'acidité des tissus, du sang, du système nerveux ou endocrinien.

En cancérologie, ces actions sont principalement au nombre de trois :

— *action antitoxique* : l'oxydation tue germes et virus et de nombreuses particules protéiques, ou métabolise des toxines jouant un rôle d'initiateur ou de promoteur de la cancérisation ;

— *action acidifiante* : l'ozone dégrade les déchets cellulaires, corrige l'alcalinité du sang qui, induite par la cancérisation, l'entretient ;

— *action sur la respiration cellulaire* : l'ozone s'oppose au métabolisme anaérobie de la tumeur et active son métabolisme aérobie.

3. Indications

Tous les états pré- para- et postcancéreux sont concernés par l'ozonothérapie, qui s'oppose à la fois à des facteurs extra-cellulaires et intracellulaires de la cancérisation, ce qui va dans le sens des théories actuelles du cancer. « Dans tous les types de cancers ou de leucémies, l'ozonothérapie représente un appoint thérapeutique fondamental et peut entrer sans aucun danger ou contre-indications dans tous les protocoles », écrit le Dr Rueff dans « Choisir la vie », médecin auquel nous nous référons pour cette fiche technique.

Celui-ci a « vu des formules sanguines et des anémies se corriger chez des sujets, même âgés de plus de quatre-vingts ans, des douleurs terribles s'amenuiser ou disparaître, des patients retrouver le moral et l'espoir, car l'effet euphorisant, donc anti-stress, n'est pas à négliger ». Dans les cas de métastases osseuses, par exemple, l'ozonothérapie agit aussi bien sur la douleur que sur le métabolisme de l'os. D'après le Dr Gabriel Marsault « l'action de l'oxygène ionisé sur les leucémies est la plus formidable et la plus spectaculaire » qu'il connaisse.

4. Traitements associés

L'ozonothérapie n'est généralement pas utilisée comme remède spécifique du cancer mais comme thérapie adjuvante « qui permet de réduire considérablement la posologie et la durée des autres traitements ».

L'oxygène dans un milieu irradié « est le plus puissant des radio-sensibilisateurs », disait dans son cours le professeur Tubiana en 1965. L'ozone, plus efficace, a un *effet radio-sensibilisant* sur les cellules cancéreuses, dont un plus grand nombre est détruit pour une même dose d'irradiation. Il protège le réseau capillaire des effets néfastes des rayons, favorise l'élimination et l'oxydation des déchets de l'irradiation, protège la formule sanguine par son effet sur le système réticulo-endothélial et a son propre effet anti-cancéreux.

« Personnellement, nous recommandons systématiquement à tout patient devant être irradié de pratiquer une oxygénothérapie avant, pendant et après l'irradiation », dit le Dr Rueff, qui met néanmoins en garde le radiothérapeute contre les effets d'un surdosage : « Les patients supportent leurs irradiations dans des conditions parfois tellement bonnes que le radiothérapeute peut être tenté de continuer le traitement au-delà ce qu'il avait prévu... les effets du surdosage "mettraient" parfois en péril leur survie hématologique. »

Pour ce médecin, « la synergie oxygène-irradiation se retrouve avec la chimiothérapie » dont l'ozonothérapie serait « le plus puissant des chimiosensibilisants ». Inutile de souligner que l'ozonothérapie peut entrer « sans aucun danger dans tous les protocoles ».

II. L'oxygénothérapie catalytique

1. Identité

La méthode d'oxygénothérapie catalytique, connue aussi sous le nom de « Bol d'air Jacquier », a été inventée par l'ingénieur chimiste René Jacquier en 1946. Cette méthode consiste à inhaler des dérivés (tétravalents) de l'oxygène dits « oxoniums ». Chimiquement, les oxoniums sont des peroxydes de terpène, véritables « vitamines » d'assimilation de l'oxygène par le sang (les peroxydes étant des catalyseurs oxydants). Ils se forment dans la nature par oxydation de l'essence de térébenthine des résineux, pins, sapins, épicéas. De façon artificielle, René Jacquier a eu l'idée de les fabriquer en faisant passer un air froid saturé de térébenthine sur une flamme d'hydrogène.

2. Action

L'apport d'oxygène dans l'organisme va donner un coup de fouet au métabolisme énergétique, et le rétablissement ou l'augmentation des combustions physiologiques de la cellule va détruire les résidus et déchets formés dans l'organisme, ou par le métabolisme perturbé (sous-oxygéné) de la cellule cancéreuse elle-même. Déchets et résidus tiennent dans la théorie du cancer de René Jacquier une importance considérable. Pour lui, en effet, le corps est l'objet d'une production de déchets cancérigènes qui peut être endogène, faite par l'organisme lui-même, ou exogène, produite par certains microbes, virus, parasites, mycoses, ou encore introduits dans l'organisme sous différentes formes : goudrons, pollutions chimiques diverses, alimentation... Jusqu'à une certaine dose, le corps en bonne santé élimine la plus grande partie de ces déchets. Mais dans l'organisme affaibli (et la vieillesse est un phénomène naturel d'affaiblissement), ces déchets, mal éliminés, vont se concentrer. Sous forme de dispersions colloïdales stables dans le sang (comme les globules de matière grasse dans le lait), ils vont floculer (comme le caillage du lait) et se précipiter sur les membranes de cellules saines qui, asphyxiées, deviennent cancéreuses.

3. Indications

L'oxygénation biocatalytique est une thérapie générale qui donne un véritable coup de fouet à l'organisme en bonne ou en mauvaise santé. Plus qu'une thérapie, il s'agit d'une méthode préventive qui fait beaucoup de bien aux changements de saison particulièrement difficiles (au début de l'hiver par exemple).

Toutes les pathologies sont aussi concernées par la méthode dont il faut alors augmenter le nombre de séances. Utilisé par des thérapeutes d'une façon adjuvante ou dans quelques centres de cure, également par de nombreux particuliers qui se sont procurés un appareil individuel, le « bol d'air » n'a jamais fait l'objet de véritables statistiques de guérison. Les seuls essais systématiques connus ont été réalisés en 1971 en Inde dans le Bihar par le cardiologue Prasad, du Medical College de Ranchi, sur quinze patients atteints d'angine de poitrine qui ont eu 40 % de bons résultats et 33 % de résultats pondérés.

En matière de cancer, René Jacquier conseille une première cure de 40 jours d'inhalations journalières de 10 mn. Le traitement n'est pas toxique et les effets sont des réactions d'élimination accompagnées parfois d'un peu de fièvre et d'une légère aggravation (fatigue), un moment difficile à passer.

4. Traitements associés

René Jacquier préconise de renforcer l'action de ce catalyseur d'oxygénation par l'absorption de sels de cobalt, de manganèse ou de fer ; des métaux qui sont des décomposeurs de peroxyde, donc des promoteurs de catalyse qui facilitent la fixation de l'oxygène dans le sang. Toujours d'après Jacquier, « il faut soigner l'état colloïdal et tenter de redisperser les déchets cancérigènes floculés en absorbant du *lauryl sulfate de soude* (voir cette fiche), 50 à 70 gouttes par jour de solution aqueuse à 15 % (dans un peu de lait pour le goût) et de la *lécithine*, qui sont des tensio-actifs facilitant le mouillage des cellules, c'est-à-dire le contact et les échanges des cellules entre elles.

Enfin, il faut suppléer aux carences de l'organisme en iode, calcium, magnésium et vitamines (vit. A, C, D et B12) et surtout ne pas manquer de protéines pour renforcer l'état colloïdal. Ce qui va à l'encontre de certaines théories alimentaires...

Où s'adresser :

Bibliographie : « De l'atome à la vie » de René Jacquier, Éditions R. Jacquier, 32, rue Louis Thévenet, 69004 Lyon.

Centres : Lyon, « Planetarium », 39, rue Félix-Jacquier.

Tél. : (7) 889.83.16.

PARIS, « Symbiose », 12, rue de Clichy (9e).

Tél. : 874.18.31.

STRASBOURG « Bol d'air Jacquier » 32, rue des Juifs.

MAUREILLAS (66450) Tsagalos Burbank « Les Fontanilles ».

Tél. : (68) 83.08.11.

La séance d'un quart d'heure coûte de 20 à 40 F.

Appareils : Les appareils, à partir de 4 000 F, sont fabriqués par la SOGEB 39, rue Félix-Jacquier 69006 LYON et Ordo-Systeme « Les grandes terres » DOMMARTIN 69380 LOZANNE.

III. Les cytochromes

1. Identité

Les cytochromes-C sont des hémo-protéines contenant du fer. Elles agissent comme des « systèmes-pont » entre les enzymes capables de libérer l'hydrogène et l'oxygène de l'air, et permettent ainsi l'oxydation anaérobie. Préconisés en France par le Dr André Malby, leur rôle a été mis en évidence par les travaux de Goldbatter Cameron, qui ont induit des transformations de cellules normales en cellules cancéreuses par carence en cytochromes-C. Ces travaux ont confirmé ceux de Warburg et d'autres chercheurs.

2. Action

Les cytochromes-C agissent dans le même sens que l'ozonothérapie, qu'ils complètent, voire remplacent parfois, selon le Dr Rueff, auquel nous empruntons les principaux renseignements.

Ils ont des effets désinfiltrants, hémostatiques et cicatrisants très utiles en chirurgie. Effet antalgique, effet préventif et curatif des lésions post-radiothérapiques, amélioration de l'état général et, dans certains cas, ralentissement du processus tumoral, tous ces effets que l'on rencontre dans toutes les oxygénothérapies ont été constatés par un grand nombre de thérapeutes.

3. Indications

Les cytochromes-C peuvent être utilisés dans toutes les formes de cancer où ils « sont susceptibles d'améliorer le résultat local et général, ainsi que l'efficacité des autres thérapeutiques », en particulier du traitement radiothérapique. Un certain nombre d'observations ont été publiées par différents médecins : les professeurs Ameline et le Dr Colliez, de l'hôpital Necker, qui ont observé des améliorations de maladie de Hodgkin avec une synergie radio-cytochromes, le Dr Huet, du service de cancérologie O.R.L. de l'Institut Gustave-Roussy, le Dr Richier, du service O.R.L. de l'hôpital Foch, qui fait état d'un succès thérapeutique sur un épithéliome spino-cellulaire du larynx.

En chirurgie, l'effet antalgique a été relevé par le Dr Dulac, de l'hôpital de Saint-Cloud, dans un cancer du sein avec métastases vertébrales. Le Dr Rueff a constaté des résultats spectaculaires « dans ce cadre de synergies d'action » où les cytochromes utilisés comme thérapie d'appoint soutenaient l'action de l'oxygénothérapie ou de l'ozonothérapie.

IV. Le co-enzyme A

I. Identité

Le co-enzyme A est un coenzyme d'acétylation qui facilite le métabolisme respiratoire de la cellule. Il a été découvert en 1945 par Lipman, Prix Nobel, et divers travaux ont mis en valeur ses diverses actions thérapeutiques.

2. Action

En 1956, Perrault et Kirch déterminent les premières indications thérapeutiques sur la biosynthèse des lipides dans le cadre d'un traitement de l'athérosclérose. En 1958, les mêmes auteurs mettent en évidence son rôle dans le rétablissement du quotient respiratoire, et dans celui des tissus lésés. En 1961, Stuhl, Kirch et Entat montrent son effet en tant que traitement adjuvant d'une radiothérapie. Diminution de l'amaigrissement, meilleur maintien de l'état général, tolérance locale améliorée et protection à distance de la lignée sanguine, telles sont les constatations faites sur 34 patients (cancers de l'œsophage, du larynx et ostéosarcomes) en cours de radiothérapie.

3. Indications

Le Co-A intervient dans bien d'autres métabolismes que celui de l'oxygène. C'est « un médicament d'appoint et d'action physiologique et non toxique dans bon nombre de syndromes » endocriniens, cardiaques... « En cancérologie, il renforce de l'intérieur de la cellule ce que l'oxygène apporte de l'extérieur. » (« Choisir la vie. ») Il peut être utilisé à la place de l'ozonothérapie et a des effets semblables quoique moindres.

4. Bibliographie

« Choisir la vie » du Dr Dominique Rueff, Le Hameau.

Phythothérapie

L'amygdaline (laétrile, vitamine B17)

I. Identité

L'amygdaline est une substance (glucoside) extraite d'un noyau d'amandes amères, de pêche et d'abricot. Ne pas confondre avec le laétrile, produit résultant de la dégradation de l'amygdaline. Cette molécule, dont la dénomination chimique est gentiobioside-D-amande acide nitrile, a été découverte en 1830 (Californie) par Liebig et Wolher. On peut aussi citer l'Américain Krebs, qui a publié des travaux en 1953, mais c'est un chimiste français, Épuran, qui en 1979 a réalisé une *« forme destrogyne pure et stable »* (d'après Lagarde).

2. Action

On ne connaît pas son mécanisme d'action, mais il existe différentes hypothèses :

a) théorie de E. Krebs : Le but de ce chercheur était de fournir une molécule concentrant ses effets toxiques seulement sur les cellules cancéreuses. L'amygdaline, transformée en laetrile glucuronide en contact avec la glucuronidase des cellules cancéreuses libère de l'ion cyanide qui détruit la cellule cancéreuse. Le benzaldéhyde, deuxième sous-produit du laetrile, a une action antalgique.

b) théorie de Passwater (1977) : La diminution du transport de l'oxygène à travers les membranes intracellulaires provoque la conversion du glucose en acide lactique et un processus de fermentation qui altère le métabolisme A.D.N.-A.R.N. et les mécanismes de base de la cellule. L'ion cyanide tend à restaurer la perméabilité intracellulaire, le Ph et la régularité génétique de la cellule.

c) théorie de Jacquier : A partir du benzaldéhyde, il se forme des peroxydases qui ont une action lysante (dissolvante) sur la membrane (voir fiche Bol d'air Jacquier).

d) théorie d'Épuran et Catalon (1979) : L'amygdaline, après diverses transformations enzymatiques, arrive à une forme appelée aglycon, qui agit sur la cellule cancéreuse.

3. Indications et contre-indications

Selon le Dr Lagarde, la « pure amygdaline » peut provoquer des allergies, mais il n'y a pas de contre-indications. Elle agit sur les cancers où la tumeur contient l'enzyme bêta-glucuronidase, dans les adénocarcinomes et la maladie de Hodgkin, moins bien dans les sarcomes et les mélanomes, enfin pas du tout dans les leucémies.

Les résultats sont controversés. Il semblerait que la plus ou moins bonne qualité de fabrication ait pu nourrir la controverse, les formes non purifiées (mexicaine et allemande) posant parfois des problèmes de tolérance. Une enquête approfondie, tant auprès des utilisateurs français qu'aux États-Unis, d'où viennent les bruits les plus contradictoires, serait bien nécessaire. En faveur de l'amygdaline joue une expérimentation faite par T. Metianu, de l'Institute Pasteur, en 1977 (Service de la rage) qui, ayant greffé des tumeurs d'origine humaine sur des souris, a eu d'aussi bons résultats que ceux obtenus en 1968 par des expérimentateurs américains (National Cancer Institute, Bethesta, Maryland).

4. Traitement associé

Pour le Dr Lagarde, en France l'un des défenseurs les plus déterminés de cette thérapeutique, il est intéressant de la jumeler avec les physiatrons synthétiques de Solomidès. Leur richesse en iode protège la glande thyroïde, et la perméabilité de la membrane cellulaire par les P.S. favorise la pénétration de l'amygdaline (d'après Épuran et Catalon). Pour Lagarde, les P.S. et l'amygdaline ont des activités semblables au niveau de la cellule ou de l'organe lésé.

5. Forme

Amygdaline française d'Épuran : ampoules de 10 ml, gélules de 200 mg, suppositoires de 500 mg, comprimés de 250 mg. Non remboursé par la Sécurité sociale. Les ampoules peuvent être prises en intraveineuses ou intramusculaires. Il faut éviter de mettre les ampoules au frais, le produit cristallisant en dessous de 18°. Mettre l'ampoule au bain-marie s'il y a cristallisation et faire chauffer les ampoules sous l'eau chaude du robinet avant l'injection.

Où s'adresser : Lire « Ce qu'on vous cache sur le cancer » Dr Ph. Lagarde, Éd. Favre pour le protocole d'utilisation.

Phytothérapie

I. Plantes africaines du Dr Tubéry

1. Identité

Il s'agit de deux plantes, Securidaca Longepedonculata (S.L.) et Lasiosiphon Kraussianus (L.K.) encore appelée Gnidia Kraussiana, traditionnellement utilisées au Cameroun contre la lèpre et le psoriasis par les sorciers. Le Dr Tubéry, auquel un sorcier révéla ces plantes, les ramena en France en 1967 et les étudia sous l'angle chimique et pharmacologique. Il isola dans le L.K. un principe actif identifié en 1971, la sénégénine, qui a un grand pouvoir immunostimulant prouvé par d'autres chercheurs et ses propres résultats.

Le Dr Tubéry continue ses travaux, tant sur L.K. que sur S.L. qui améliore les mêmes pathologies (ou très voisines). Il est aidé depuis 1975 par une pharmacienne, Jacqueline Ragot, ancienne interne des Hôpitaux de Paris, Docteur en Sciences Naturelles, qui donna sa démission du C.N.R.S. pour se consacrer à la recherche aux côtés du médecin. Le problème pour eux, c'est d'obtenir des extraits les plus purs possibles, afin d'éviter les complications et les effets secondaires au cours du traitement. Ils mettent ainsi au point des remèdes efficaces dans bon nombre de maladies à déficience immunitaire.

2. Action

Le principe actif de S.L., la sénégénine, inhibe les lymphocytes. Ceci a été vérifié in vitro par le Pr Colombies de Toulouse en méthode optique, et en méthode radioisotopique, par le Centre national des sclérosés en plaques. In vivo, on a constaté une diminution des lymphocytes circulants chez des lapins. Un retour à la normale, chez ceux qui présentaient une hypergammaglobulie. (Cette action est très focalisée sur la lignée lymphocytaire : les lignées granulocytaire, thrombocytaire, monocytaire, érythrocytaire sont intactes, même à fortes doses.)

Une expérimentation vétérinaire utilisant un extrait hydrolysé (à 50 %) donne 80 % de résultats positifs dans l'eczéma du chien. En mars 1971, des extraits de L.K. ont eu un effet antalgique dans une maladie de Kahler et une action sur le lymphosarcome.

Toutes les recherches et les expérimentations ultérieures ont confirmé les remarquables propriétés anticancéreuses et immunostimulantes de ces plantes.

3. Indications

Deux groupes de produits ont été extraits des plantes africaines.

a) Les premiers sont peu toxiques et peuvent être utilisés sans danger et précautions spéciales. Deux sont extraits du S.L. : le S.L.C.L. surtout efficace dans les *états allergiques* et le S.L.Mg. qui possède des *propriétés cytostatiques*. Extraits du L.K., le L.K.D. agit sur tout *affaiblissement des capacités immunitaires* et il est capable de *relever le taux des gammaglobulines* et le L.K.C.L. semble efficace dans la *plupart des cancers*.

b) Deux extraits sont toxiques, mais aussi très actifs : le L.K.H. est indiqué dans le traitement des *cancers solides dépassés*, comme *traitement préopératoire de cancers à haut risque* ou comme *potentialisateur des chimiothérapies conventionnelles* et le L.K.P.E.G. est actif sur les *tumeurs solides*, mais trouve ses principales indications *en hématologie*.

4. Effets secondaires

La première catégorie de produits est peu toxique. Ils sont conditionnés sous une forme orale (gélule), ampoules buvables ou ampoules injectables (perfusions intraveineuses). Dans ce dernier cas, par exemple pour le L.K.A., où le principe est contenu à environ 50 % dans du polyéthylène glycol 400, il faut injecter à doses progressives et adjoindre de corticoïdes à dose modérée pour éviter un petit effet pyrogène.

La deuxième catégorie doit être employée sous surveillance biologique constante. Le L.K.H. est toxique pour le rein et peut entraîner une acidose et une hypokalémie. Surveiller le taux des électrolytes sanguins. Le L.K.P.E.G. est également toxique pour les reins et présente le risque de chocs thermiques une à deux heures après l'injection.

Où s'adresser : Les produits ne sont pas remboursés par la S.S. Tous les efforts accomplis par le Dr Tubéry pour qu'un grand laboratoire prenne en charge la purification, la production et la commercialisation des plantes africaines ont été vains. Il a même été inquiété par les services publics après avoir essayé de commercialiser les produits sous la forme de préparation magistrale en pharmacie. Aujourd'hui, c'est une association, la Fondation Solidarité, qui produit et diffuse les produits par correspondance (sur ordonnance).

Écrire à Fondation Solidarité 33, avenue Jean-Rieux 31500 TOULOUSE.

Ou à Fondation Solidarité 133, av. du Général-de Gaulle 92170 VANVES.

Ou à Fondation Solidarité 44, rue d'Arsonval 62300 LENS.

II. La viscumthérapie

1. Identité

Curieuse plante que le gui blanc, parasite des arbres de l'Europe continentale. Passe pour sa nature de parasite qui nourrit son hôte, mais fallait-il pour autant se singulariser en poussant dans n'importe quelle direction, perpendiculairement à la surface de la branche hôte ? Et a-t-on idée de fleurir en février, en plein hiver et de mûrir ses fruits en novembre-décembre, tout en refusant de les laisser tomber, comme le veut Newton ? Depuis des siècles, les Européens reconnaissent des vertus médicinales à cette plante toxique, une sorte de « panacée universelle ». Pour Hippocrate, elle était bénéfique dans les affections de la rate. Le

Romain Pline et les médecins arabes l'utilisaient dans les insuffisances cardiaques, l'hydropsie et comme stimulant de la fécondité. Les épileptiques en bénéficièrent au XVIe siècle. Et à l'aube de ce siècle, on l'utilisa comme antihypertenseur et contre l'arthrose déformante...

On ne sait toujours pas pourquoi les druides allaient cueillir le gui avec leurs serpes d'or, une image mythique bien gauloise. Ce n'est pas en France que l'on a renoué avec la tradition, mais de l'autre côté du Rhin, où Rudolph Steiner, le fondateur de l'Anthroposophie (voir Médecine anthroposophique, cristallisations sensibles, biothérapie gazeuse), un mouvement philosophique et scientifique qui a pignon sur rue en Allemagne, a indiqué en 1917 le gui comme thérapie du cancer. Depuis, de nombreux travaux « in vitro », des expérimentations « in vivo » en clinique ou non, randomisées ou non, ont confirmé les qualités cytotoxiques, cytostatiques, et immunostimulantes de cette plante qui gagne en efficacité, intégrée dans une stratégie globale, comprenant thérapies officielles et non conventionnelles.

2. Action

a) action cytostatique : Le Viscum Album fermenté, selon Rita Leroi, médecin responsable de la Lukas Klinik (Arlesheim, Suisse), semble influencer directement le code génétique de la cellule, à l'inverse de la plupart des cytostatiques, qui interviennent dans les diverses phases de la division cellulaire. C'est ce qu'ont démontré Vester et d'autres chercheurs, qui ont isolé un complexe de protéine très toxique pour la cellule cancéreuse. La place manque ici pour citer tous les travaux « in vitro » et « in vivo ». La principale objection de l'establishment est toujours que ces recherches ne sont pas randomisées, c'est-à-dire faites en comparant statistiquement plusieurs « lots » de malades soignés avec des thérapies différentes.

Ce type d'expérimentation soulève en médecine deux problèmes : un problème de moyens, la plupart des médecins ouverts aux thérapies nouvelles étant des généralistes, et un problème moral : peut-on sacrifier des malades sachant pertinemment que certaines thérapies sont inopérantes, ou tout simplement qu'un ensemble de thérapies, tant allopathiques que de terrain, sont nécessaires...

Il se trouve que George Salzer, chirurgien-chef de l'hôpital de la ville de Vienne (Autriche), par sa position, a pu mener à bien un certain nombre d'expérimentations randomisées. Trois études ont ainsi été menées à l'Institut oncologique Ludwig Boltzmann de Vienne, qui se trouve dans l'enceinte de l'hôpital. La première a prouvé que 20 % de malades atteintes de cancer du sein opérées au stade III vivaient encore à la fin de la 6e année, soignées depuis leur opération avec le V.A.F., alors que les patientes du 2e groupe, irradiées après l'opération, ne vivaient plus.

La deuxième étude comparait deux groupes de malades opérés d'un cancer du poumon (40 cas) avec des sous-groupes de malades atteints de métastases lymphatiques au moment de l'opération. C'est dans ce cas que la comparaison en faveur du V.A.F. est la plus favorable, avec 50 % de mortalité au bout de cinq ans, alors que ce seuil était atteint dès la 1re année avec le groupe témoin soigné avec un placebo !

La troisième étude randomisée, publiée en 1979 par G. Salzer et H. Denck, étudie la survie de malades atteints d'un cancer de l'estomac et les répartit en trois groupes, l'un traité du Viscum, l'autre au 5-Fluoruracile (5FU) et le troisième reçoit un placebo. Le Viscum Album obtient les meilleurs résultats quel que soit le stade évolutif au moment de l'intervention, alors que si la chimiothérapie obtient de meilleurs résultats que le placebo à court terme, l'avantage vis-à-vis de la chimio revient au placebo à moyen et à long terme...

b) action immunologique : Un chercheur, Koch, a découvert les propriétés antigéniques du gui : en immunisant des lapins, il a pu transmettre au moyen de leurs sérums une immunité passive à des souris. Vester, Seeger, Zschiesche ont démontré ce renforcement fonctionnel de l'appareil de défense par l'action du gui. Un de ses composants, l'acide viscique, un polysaccharide, a même été étudié par le Pr Mathé et son équipe en 1963, qui avait conclu en sa faveur...

A la clinique Lukas, un certain nombre d'observations expérimentales ont montré la formation d'anticorps humoraux après traitement et la stimulation de l'immunité cellulaire. Plus récemment, en 1973, on a trouvé un anti-B hétérophile, une substance analogue aux anticorps, qui a également un effet cytotoxique sur les cellules tumorales de souris. Le Dr Spraesico, de Milan, a démontré que des cellules macrophages prélevées chez une souris stimulée au V.A.F. deviennent plus actives in vitro à l'encontre de cellules malignes. En R.F.A., le Pr Waker, de Francfort, étudie la stimulation d'interféron par le V.A.F. A Strasbourg, à Montpellier (où a commencé la première expérimentation randomisée de France), à Los Angeles, se poursuivent des travaux dans le domaine de l'immunologie.

3. Indications

Les applications du V.A.F. sont ainsi nombreuses :

— avant et après l'opération,

— avant, pendant et après l'irradiation,

— avant, pendant et après un traitement chimiothérapique,

— associé à d'autres thérapies de terrain,

— à titre préventif lorsque le terrain est précancéreux.

Le protocole est à demander en Suisse. Il se trouve aussi dans le livre de Philippe Lagarde.

4. Bibliographie

Lire aussi le livre du Dr Rueff « Choisir la vie » ou « Tous les espoirs de guérir » de J. Palaiseul (classique, mais déjà ancien).

Où s'adresser : On peut se procurer le Viscum Album Frementé ou Iscador au laboratoire Weleda, 68330 Huningue.

Tél. : (89) 67.75.52.

En tant que préparation pharmaceutique, il devrait pouvoir être commandé dans chaque pharmacie. Il devrait être remboursé en tant que tel par les caisses, mais il est l'objet depuis un an ou deux d'une régression incompréhensible et illégale.

III. La primevère du soir (onagre bisannuelle-acide gras essentiel-avec acide gammalinolénique-vitamine F)

1. Identité

L'onagre bisannuelle ou « primevère du soir » (oenothera biennis) est une plante européenne commune qui a la particularité d'être la seule à contenir de l'acide gammalinolénique, l'une des étapes du métabolisme des acides gras essentiels conduisant à la construction des cellules et à la production des prostaglandines. La propagandiste de l'huile d'onagre est une journaliste anglaise, Judy Graham, qui, atteinte de la sclérose en plaques, prend connaissance de travaux de laboratoire concernant cette huile, se fait cobaye et fonde une association de sclérosés en plaques de 2 000 membres. Elle a écrit un livre, traduit en français, qui constitue une excellente leçon d'autogestion d'une maladie grave. Dans un deuxième, sous presse, elle fait un panorama des travaux faits dans le monde sur cette huile et de son rôle dans le métabolisme des prostaglandines. L'importance de ces substances, entre hormones et vitamines, n'a été découverte qu'assez récemment, notamment par le médecin et chimiste suédois Sune Bergstreom, qui a reçu pour cela le prix Nobel de Médecine en 1982 et a été élu cette année membre associé à l'Académie des Sciences.

2. Action

En matière de cancer, il est encore trop tôt pour connaître tous les modes d'action de l'acide gammalinolénique. Une recherche récente, effectuée en Afrique du Sud sur des cultures de cellules cancéreuses, animales et humaines, prouve paradoxalement son effet toxique ou inhibiteur des cellules cancéreuses, alors que la théorie et l'expérimentation en font surtout un enfant de la vaste famille de l'immunothérapie tant préventive que curative.

L'huile d'onagre contient en effet 72 % d'acide linoléique et 8 % d'acide gammalinolénique, des acides gras essentiels, polyinsaturés, nécessaires au métabolisme. L'acide linoléique constitue l'une des deux familles d'acides insaturés contenues dans les huiles végétales (tournesol, carthame, soja, maïs, lin), dans les huiles de poissons, les légumes verts et dans les graines (sésame, cacahuètes, amandes, noix de cajou). Dans un organisme dont le métabolisme fonctionne bien, l'acide linoléique est transformé en acide gammalinolénique, lequel devient de l'acide dihomogammalinolénique et arachidonique, qui avec l'apport d'autres substances (vitamine C notamment) produisent les fameuses prostaglandines et également le matériau de construction de la cellule.

On voit donc l'intérêt de sauter l'une des étapes du métabolisme des acides gras, la première, et de prendre de l'acide gammalinolénique directement sous forme d'huile d'onagre.

3. Associations

Pour fabriquer les prostaglandines, substances régulatrices et messagères à la vie très courte, le corps a non seulement besoin d'acide gammalinolénique, mais aussi de vitamine C, B6, et de zinc.

4. Bibliographie et adresses

« Judy Graham et la primevère du soir » par Judy Graham, Éd. Épi (1983). « Evening Primerose Oil » par Judy Graham, Éd. Thorsons (1984), traduction à paraître en 1985 aux éditions de l'Épi. On peut se procurer cette huile sous forme de capsules soit en Angleterre ou en Belgique, en attendant qu'elle soit commercialisée en France, chez Bio-Oil Research, Royal Oak Building, High Street, Crewe Cheshire CW2 7BL England (tél. : 0270.213094) sous le nom de Naudicelle ou chez Britannia Pharmaceuticals Ltd, Londsdale House, 7-11 High Street, Regate, Surrey, England. Tél. : Reigate 22256, sous le nom d'Efamol. En Belgique, ces capsules sont vendues par P. Goffart, 89, avenue Odon-Wardland, 1090 Bruxelles (—2-424.28.98).

Psychothérapies

Dans ce chapitre, nous allons sommairement faire un survol de quelques voies proposées aujourd'hui par des spécialistes de la « psyché » qui n'ont pas la place qui leur revient à l'hôpital, c'est le moins qu'on puisse dire...

Psychosomatique : la voie française

Identité

Laissons la parole à Pierre Solignac, psychiatre auteur de « Ces malades mal traités », Éd. Trévise : « Psychosomatique, cela veut dire interaction du corps et de l'esprit. La vie moderne crée des tensions psychologiques ou nerveuses qui sont réglées de différentes façons. Il y a l'échappement vers le délire... La "meilleure" façon de lutter contre son angoisse, c'est de l'engermer dans son corps ; c'est de la somatiser. Et puis il y a le cancer : on perd le contrôle. » Dans beaucoup de cancers, on note qu'un traumatisme s'est produit dans les cinq années avant sa découverte. C'est une maladie générale... pas locale, elle concerne tout l'individu, sa vie comprise. Or que font les médecins devant un cancer ? Comme ils ont peur, il leur faut extirper d'urgence, couper, tuer... On ne devrait pas opérer en situation d'angoisse... Il faut soigner avant de penser à l'opération. Le cancer n'est pas une urgence ! On dispose de 3, 5, parfois 6 mois pour permettre au malade de se défendre avant l'opération, si opération il doit y avoir.

Action

A un malade cancéreux du poumon qui doit se faire opérer, il conseille : « Pourquoi se presser ? Essayons de vous donner les moyens de lutter par vous-même » : psychothérapie, vitamines A et C, magnésium à fortes doses, cures de sommeil... Au bout de deux mois, une radiographie constate la guérison. Mais son cancer disparu « il était à nouveau confronté à son problème de fond, à savoir qu'il était tiraillé entre sa maîtresse, veuve avec deux enfants et sa femme qui en avait quatre ». De plus, il fumait trois paquets par jour !

Source

Impatient, n° 58, septembre 1982.

Lire aussi « Psychosomatique et cancer » de Jean Guir, Éd. Point hors ligne, 1983, « Le corps aussi », Dr Richard Meyer, Éd. Maloine, 1982.

Stress et cancer

a) identité : Le mot stress a été inventé par le professeur canadien Selye, de l'Université de Montréal, et depuis, c'est outre-Atlantique que l'on a le plus étudié le rôle du stress et les moyens de le surmonter.

Le responsable du « stress », des stress, est l'environnement : pollutions de l'air et de l'eau, le bruit, les habitudes de la vie moderne, mauvaise alimentation, médicaments excitants, vaccinations, rythme de travail, ambiance familiale perturbée, pertes d'un être cher, tous les changements imprévus. Il y a même une échelle quantifiée des effets de ces divers stress sur l'homme.

En cas d'agression de la part d'un ou de plusieurs stress, le système nerveux central (le sympathique) mobilise toutes les hormones surrénales et hypophysaires. C'est cet état d'hypersécrétion des glandes endocrines qui est appelé stress et qui est en fait une réaction de défense.

A force d'être sollicité, ce système s'épuise et l'on entre dans une phase d'épuisement : fatigue physique le matin, fatigue intellectuelle, troubles de la mémoire, courbatures, migraines, insomnies... La maladie psychosomatique vient après cette phase fonctionnelle : troubles cardio-vasculaires, digestifs, gynécologiques, cutanés, sexuels, etc., cancer.

Il faut prendre conscience de ce que l'état de stress est une véritable intoxication due à l'hypersécrétion des glandes. On ne peut pas s'habituer au stress. Il faut donc réagir.

b) action : On ne peut pas tout éviter, car la vie impose souvent sa dure réalité. Mais il y a un certain nombre de choses que l'on peut faire : prendre un temps de détente après le travail, éviter d'allumer la télévision, respirer profondément, s'aérer, contribuer à établir autour de soi un climat de paix et d'harmonie.

La relaxation et ses différentes techniques peuvent être une aide efficace. Il y en a un certain nombre : le biofeed-back, la relaxation psychosensorielle Vittoz, la pédagogie de relaxation de G. Alexander, la relaxation statico-dynamique de Jarren-Klotz, la méthode du mouvement passif de Wintrebert, la rééducation psychotonique d'Ajuriaguerra, le yoga, le training autogène de Schultz, la sophrologie, etc. (Lire Impatient, nº 78, mai 1984.)

Dr Lawrence Le Shan

« Vous pouvez lutter pour votre vie » par Lawrence Le Shan, Éd. Robert Laffont, 1982, est un livre essentiel si l'on veut comprendre ce que peut être une psychothérapie du cancer qui est une « découverte du moi authentique ». Le Dr Le Shan, qui a suivi en psychothérapie soixante et onze cancéreux sur une durée de 20 ans, a par exemple monté ce questionnaire éclairant très bien sa démarche :

« 1. Suis-je capable d'exprimer ma colère lorsque je suis particulièrement furieux ?

2. Est-ce que j'essaie de tirer le meilleur parti des choses, quoi qu'il arrive, sans jamais me plaindre ?

3. Ai-je divers centres d'intérêts et sources de plaisir dans la vie, ou toute mon énergie est-elle centrée sur une relation particulière (travail, conjoint, enfants, etc.), de sorte que si je venais à perdre cette relation, je n'aurais plus de raison de vivre ?

4. Est-ce que je me considère comme quelqu'un d'estimable et digne d'être aimé, ou est-ce que je me figure la plupart du temps être moins que rien ? Est-ce que je me sens seul, isolé des autres, rejeté ?

5. Est-ce que j'ai fait de ma vie ce que je voulais en faire ? Mes relations avec autrui sont-elles satisfaisantes ? Suis-je rai-

sonnablement optimiste ou au contraire sans espoir aucun de jamais m'épanouir ?

6. Si j'apprenais qu'il ne me restait plus que six mois à vivre, continuerais-je à mener la même vie ? Ai-je des rêves, des ambitions et des désirs non réalisés dont je n'ose parler à personne et qui m'ont tourmenté toute ma vie ? »

Guérir envers et contre tout

a) identité : « Guérir envers et contre tout » du Dr Carl Simonton, Éd. Épi, 1983, est un autre livre capital qu'il faut avoir lu. Le Dr Carl Simonton, cancérologue-radiothérapeute américain travaille sur le cancer depuis plus de dix ans. Il a écrit ce livre avec deux psychothérapeutes, Stéphanie Matthews Simonton et James Creigton, ses collaborateurs.

La méthode Simonton cherche à redonner la *volonté de vivre*. Elle est basée sur un certain nombre de postulats émis par la recherche scientifique récente : la réalisation automatique des prédictions, la relation entre stress et cancer et la relation étroite entre le corps et l'esprit (somato-psychique et psycho-somatique), la prise en main active de soi-même.

b) action : Je reprends le résumé fait dans l'introduction du livre par Anne Ancelin Schutzenberger (Université de Nice). La méthode consiste à *1. Reprendre son souffle* pour sortir de l'angoisse, voir les choses en face, faire le point, réapprendre le goût de la vie, la possibilité de se faire plaisir, de rire... La relaxation et l'exercice sont des moyens. *2. Sortir de l'impasse du « pourquoi »* et *« pourquoi moi ». 3. Se « reprogrammer » :* la perte de tel objet d'amour vaut-elle la peine de mourir ? *4. Trouver un support amical et thérapeutique* qui permet de se reprendre en main. *5. Agir sur le corps* par la technique de la visualisation, de l'imagination qu'on fait agir sur le corps. *6. Suivre une psychothérapie personnelle*, outil indispensable.

Radiothérapie
Radiumthérapie-curiéthérapie

1. Identité

La radiothérapie consiste à détruire les tumeurs localisées à l'aide de radiations ionisantes d'origine artificielle ou naturelle. Les rayons X ou photons sont produits par des appareils construits, le rayon gamma vient d'une source radioactive naturelle (radium) ou artificielle (cobalt 60 ou césium).

La vieille génération des appareils conventionnels de 200-250 KV disparaît au profit d'appareils à hautes énergies de plus en plus sophistiqués : appareils produisant le cobalt 60 de 1,25 MV, accélérateurs linéaires d'électrons (4 à 25 MV). On utilise aussi des aiguilles radioactives implantées à l'intérieur de l'organisme pour des tumeurs non accessibles.

2. Action

a) côté cour : Le principe d'action de la radiothérapie est le même que celui qui guide la chirurgie : détruire ou au moins réduire le plus possible le volume de la tumeur. L'agent destructeur, ce sont les radiations de très courte longueur d'onde qui ont un pouvoir de pénétration très élevé dans les corps de faible poids atomique que sont les tissus mous. L'irradiation crée dans ces tissus une ionisation, c'est-à-dire une libération des radicaux libres et des agents oxydants qui, entrant en interaction avec les molécules de D.N.A. (le matériel génétique), cause la mort cellulaire. L'effet de la radiothérapie dépend de la dose absorbée par les tissus irradiés. Plus les doses de rayons, exprimées en rad ou en gray (gy) — 100 rads = un gray — sont élevées, plus ils vont développer leur action destructrice. Le problème de la radiothérapie, c'est de détruire les cellules cancéreuses plus sensibles aux radiations, tout en faisant le moins de dommages possibles aux cellules saines. Une tâche rendue encore plus difficile par les différences de sensibilité, selon la personne, les organes, l'emplacement et le type de la tumeur. Au-delà d'une certaine dose, les tissus sains ne résistent pas au traitement, les effets secondaires et les risques de complications augmentant.

b) côté jardin : Certaines critiques adressées à la radiothérapie rejoignent celles faites à la chirurgie (et à la chimiothérapie). On met l'accent sur l'effet destructeur de la radiothérapie, dont les effets secondaires, reconnus par la médecine, sont plus ravageurs que la maladie elle-même, surtout pour le terrain et ses défenses immunitaires. René Jacquier, l'ingénieur chimiste inventeur du Bol d'Air (voir la fiche) est contre la radiothérapie qui, par son effet de destruction, augmente le nombre de déchets dans le sang. Or c'est justement la floculation (précipitation) de déchets et toxines, normalement en état colloïdal, qui est d'après Jacquier, à l'origine de la tumeur.

Côté jardin... on ne peut qu'être impressionné par la grandeur du décorum, la sophistication et le gigantisme du matériel utilisé. L'homme devient objet de la magie du XXe siècle qui allie l'atome à l'ordinateur. Le patient coincé entre les effets ravageurs de sa maladie et ceux non moins dangereux de la radiothérapie peut-il encore se prendre en charge après une telle thérapie ?

3. Indications

Bien que les thérapeutes des médecines de terrain aient une attitude assez prudente vis-à-vis de cette thérapie, ils la préconisent également dans certains cas. Dans ce paragraphe, nous donnerons le point de vue « côté cour », car il s'agit vraiment d'une thérapie hospitalière, lourde.

a) indications : La radiothérapie est souvent préférée à la chirurgie. Faite dans de bonnes conditions, elle a l'avantage d'être moins mutilante. Le choix entre les deux est fonction de la qualité technique de l'hôpital (ou devrait l'être...), du degré de localisation de la tumeur et de ses différents types. Dans l'épithéliome du col utérin de stade I, radiothérapie et chirurgie ont le même taux de survie. Dans celui de la prostate, la radiothérapie doit être préférée ; à taux de survie équivalente, le risque d'impuissance est moindre. Dans le cancer du rectum (au-dessous du péritoine) la radiothérapie est efficace dans le cas de tumeurs petites, superficielles et non ulcérées. La radiothérapie est le traitement du Hodgkin localisé (stades I et II), survie sans récidive à 5 et 10 ans dans 80 % des cas, également dans le traitement des lymphomes lymphocitaires et histiocytaires (tumeurs très localisées).

b) contre-indications : Il s'agit surtout de la radiothérapie post-opératoire de routine, qui est déconseillé *après une mastectomie*, type Halsted (elle provoque une fréquente morbidité) lorsqu'il n'y a pas de métastases. Elle est inefficace *dans le cancer du poumon*, sauf en complément d'une chimiothérapie, qui est discutable (sauf séminomes) *dans les cancers testiculaires*, après lymphodénectomie, et qui ne semble pas améliorer les résultats de la chirurgie seule en cas de pré- ou post-opération des cancers du corps utérin de stade I.

Ces indications en a) comme en b) n'ont pas la prétention d'être complètes, et chacun doit faire des recherches sur son cas propre...

4. Effets secondaires

Les effets secondaires des irradiations (comme ceux de la chimiothérapie) sont souvent mal expliqués au patient. Ceux-ci sont de deux ordres : des complications aiguës pendant le traitement, et ce qui est plus grave, des effets tardifs qui peuvent être irréversibles.

Les complications aiguës apparaissent pendant ou après la fin du traitement. Il s'agit de nausées, vomissements, maladies de la peau (lucites), leucopénies, en cas de Hodgkin également aplasies médullaires, ulcération gastro-intestinales. Ces effets disparaissent généralement dans les semaines suivant leur apparition.

Les effets tardifs peuvent se déclarer de plusieurs semaines à plusieurs mois après la fin de la radiothérapie : pneumonie, myélites, fibrose pulmonaire, myélofibrose persistante, pancytopénie et récurrence accrue des tumeurs du sein du côté de la zone irradiée (Hodgkin). Dans cette maladie, une chimiothérapie associée à la radiothérapie peut induire une aplasie médullaire et, plus tardivement, une assez forte prédisposition à la leucémie myéloïde aiguë (5 à 10 %, 10 ans après le traitement).

L'effet secondaire le plus grave est la leucémie, par exemple en cas d'irradiations de grosses amydales, d'un gros thymus ; d'une spondylarthrite ankylosante. Le risque est fonction de la constitution génétique et de l'âge : nourrissons et femmes enceintes sont plus sensibles. On ne connaît pas la dose de radiation acceptable sans risque, ainsi une dose aussi faible que 17 rads chez la femme subissant des radiographies ou radioscopies répetées du thorax pour la surveillance d'une tuberculose, ou des mammographies répétées de dépistage, a entraîné une augmentation de la fréquence du cancer du sein.

Chez les cancéreux, les risques de complication augmentent avec la dose. Pour les éviter, on fractionne la dose, mais celle-ci ne doit pas dépasser 15 Gy aux poumons, 24 Gy aux reins, 30 Gy au foie, 35 Gy au cœur, 40 Gy à la moelle épinière, 55 Gy à l'intestin, 60 Gy au cerveau, 75 Gy à l'os, sous peine de complications.

Pour toutes ces raisons, la radiothérapie doit être conduite avec prudence.

5. Traitements associés

La radiothérapie offre, curieusement — on ne peut pas contourner indéfiniment la réalité — une convergence : côté cour comme côté jardin, l'oxygénation de cellules anoxyques est bénéfique.

a) côté cour : Les radiothérapeutes ont remarqué que les tumeurs assez volumineuses étaient moins sensibles à la radiothérapie que les tumeurs plus petites. La cause est la moindre oxygénation des grandes tumeurs, dont les cellules non oxygénées étaient réfractaires aux effets ionisants du fait de l'absence du radical oxygène. Pour oxyder ces cellules, on utilise parfois l'oxygène hyperbare, des « radiations à haute énergie linéaire de transfert » et des substances « radiosensibilisantes » comme le métronidazol (Flagyl) ou le misonidazole, qui font l'objet d'essais cliniques dans divers pays.

b) côté jardin : Cette attention portée à l'oxygénation des cellules est un début de réhabilitation implicite des idées de Solomidès, de Jacquier qui, eux-mêmes, ne font que suivre le prix Nobel Wartburg. L'emploi des cytochromes du Dr André Malby, de l'ozonothérapie, de la vitamine C, va également dans le même sens et toutes ces thérapies sont adjuvantes à la radiothérapie, et permettent au patient de mieux supporter celle-ci, tout en la rendant plus efficace. (Voir fiches Bol d'air Jacquie-Physiatrons synthétiques de Solomidès-Cytochromes...)

La Fondation Solidarité Toulouse préconise aussi un médicament commercialisé en pharmacie : la Biafine, émulsion à passer sur les régions traitées, et des médicaments non commercialisés officiellement (non remboursés), un Serocytol (voir cette fiche), suppositoire neurovasculaire, un suppositoire un soir sur deux, durant une semaine avant, pendant et après la radiothérapie. Assure la protection de la peau, des vaisseaux et des tissus conjonctifs. Le *D.N.R.* (voir cette fiche), liquide à base de silicium organique, à appliquer sur la zone irradiée au moyen d'une compresse recouverte d'un plastique, à garder toute la nuit. (Voisin de la spécialité Conjonctyl) et Teinture-Mère de Gnidia Kraussiana déterpéné 30 gouttes midi et soir dans 1/2 verre d'eau sucrée ou miellée, une semaine avant, et pendant la radiothérapie. (Stimule la production de globules blancs.)

Vitamine C

1. Identité

La vitamine C ou acide 1-ascorbique, de formule chimique $C_6H_8O_6$, est une substance étroitement liée aux hydrates de carbone qui se trouvent dans les cellules des plantes et de la plupart des animaux. L'homme, une des exceptions, ne la métabolise pas. Elle lui est cependant nécessaire, et une carence en vitamine C comporte de graves incidences sur la santé. La plus grave était longtemps le scorbut, surtout connu des marins décimés par cette maladie. Une des innovations capitales de la marine anglaise du milieu du XVIIIe siècle, qui lui donna l'avantage sur la marine française, fut cette attention donnée aux vivres frais. Un historien explique la victoire de Trafalgar par l'alimentation riche en agrumes des marins anglais en bonne santé alors que les navires français étaient ingouvernables du fait de la faiblesse des marins...

En 1747, un médecin écossais, James Lind, soignant treize patients atteints de scorbut avec des agrumes, a prouvé l'importance de leur apport.

Mais ce n'est qu'en 1928 que l'acide ascorbique-L fut purifié pour la première fois par Albert Szent-Györgyi et en 1932 que cette substance fut identifiée. Il a fallu attendre 1937 pour faire une relation entre carence en vitamine C et cancer. En 1940 le médecin allemand W.G. Deucher fit le premier essai clinique, et prouva qu'un régime de 1 à 4 g de vitamine C par jour, pendant plusieurs jours, produisait un effet remarquable sur leur état général et sur leur capacité à tolérer de fortes doses de radiations à haute énergie. Depuis les années 70, un certain nombre de travaux ont confirmé ces premières observations. Parmi ces chercheurs et médecins, le plus connu est Linus Pauling, deux fois prix Nobel (Chimie et Paix), qui a collaboré avec le Dr Ewan Cameron, de l'hôpital écossais de Vale of Lewen, où la tradition est décidément reine, même dans le domaine de la vitamine C.

2. Action

Il est ainsi prouvé que la vitamine C joue un grand rôle non seulement dans le traitement du cancer, mais aussi dans sa prévention. La vitamine C est en effet une substance essentielle du système immunitaire, lequel joue un rôle important tant dans la prévention que dans la lutte contre le cancer.

Une forte consommation de vitamine C augmente la production d'anticorps, ces immunoglobulines qui ont le pouvoir de reconnaître les cellules étrangères et de se combiner à elles permettant ainsi leur destruction. La production d'un autre complexe protéinique, le complément ou C1 estérase, essentiel dans le processus de destruction des cellules cancéreuses, est aussi stimulée. Et surtout, les lymphocytes, les plus importantes des cellules phagocytaires (mangeurs de cellules) ont une vitalité accrue. Des recherches récentes, dont celles d'Horobin, de Montréal, confirment cette activité de stimulation du système immunitaire.

Ce dernier démontre que la prostaglandine E_1 (P.G.E_1) joue un rôle majeur dans la régulation de la fonction T-Lymphocytaire. Or, la production de prostaglandine P.G.E_1 dépend de facteurs diététiques, dont l'acide linoléique, l'acide gammalinolénique, le zinc, la pyridoxine et la vitamine C. Un certain nombre de recherches récentes montrent par ailleurs l'importance essentielle de l'acide gammalinolénique, qu'on trouve principalement dans l'huile d'onagre ou primevère du soir.

La consommation accrue d'acide ascorbique stimule aussi la production par les cellules de l'organisme d'une substance inhibant l'enzyme hyaluronidase produite par les cellules malignes qui s'attaquent ainsi au tissu environnant pour s'y infiltrer. La vitamine C fortifie aussi le collagène, dont il favorise la synthèse des fibrilles.

Au Symposium International sur la vitamine C de Warwick (1981), a été également mise en valeur sa capacité inhibitrice des nitrosamines, ces cancérigènes se trouvant dans les légumes traités, l'air et l'eau pollués (la vitamine E a des effets comparables).

3. Indications

La plupart des expérimentations effectuées avec la vitamine C dans les années soixante-dix l'ont été sur des cancéreux au stade terminal, étant donné l'attitude peu favorable de l'ensemble du corps médical et des instances officielles envers un médicament aussi peu sérieux... Tous les types de tumeurs ont cependant été traitées avec des résultats comparables. Dans des études de Cameron et Pauling parue en 1976, ces chercheurs disent qu'en moyenne les patients traités à la vitamine C ont survécu dix mois de plus que ceux du groupe témoin. Chez beaucoup de ces patients, il se manifeste une amélioration subjective généralement apparente entre le cinquième et le dixième jour de traitement, une amélioration parfois assez spectaculaire vis-à-vis de la douleur. Ainsi, des patients au stade terminal souffrant de métastases osseuses particulièrement douloureuses ont pu cesser de prendre les drogues anti-douleur, morphine ou héroïne, quelques jours après le début du traitement.

VITAMINE C ET CHIRURGIE

La vitamine C est utile en cas d'opération chirurgicale. Renforçant les mécanismes de défense, elle permet l'élimination des amas de cellules malignes disséminées dans le système sanguin périphérique, empêchant de ce fait la formation de métastases. Ses vertus cicatrisantes contribuent à la guérison rapide de la plaie.

VITAMINE C ET RADIOTHÉRAPIE

L'une des premières expérimentations avec la vitamine C dans les années 40, avait établi son effet bénéfique vis-à-vis des effets secondaires de la radiothérapie. Celle-ci, de plus, agit mieux, car la vitamine C qui renforce le collagène entourant la zone irradiée, empêche de fait la dissémination des cellules cancéreuses ayant survécu à l'irradiation.

VITAMINE C ET TRAITEMENT HORMONAL

D'après Linus Pauling, la vitamine C renforce l'action de l'immunothérapie, ayant elle-même un effet immunothérapique.

VITAMINE C ET CHIMIOTHÉRAPIE

Un certain nombre de patients combinant vitamine C et chimiothérapie montrent une plus grande tolérance à cette dernière et moins d'effets secondaires déplaisants. Le problème de cette combinaison pourrait venir du fait que la vitamine C annihilerait l'effet de la chimiothérapie. Pour éviter cet effet, si effet il y a, L. Pauling et Cameron préconisent de suspendre l'ingestion de vitamine C pendant les 24 ou 48 heures du traitement intensif. Aux patients « incurables » (cancers gastro-intestinaux notamment) qui reçoivent souvent une chimiothérapie de dernier recours, ils préconisent, à la place, un traitement à la vitamine C, soit 10 g par jour.

4. Le remède

La vitamine C se trouve à l'état naturel dans de nombreux végétaux et dans les agrumes et fruits. L'acide ascorbique peut être extrait des fruits et légumes ou fabriqué synthétiquement. D'après Pauling, il est indifférent qu'elle soit naturelle ou synthétique. Cette attitude, typiquement américaine, doit être nuancée par une vision énergétique qui donne la préférence à la nature. Mais il est évident que la forte quantité à absorber en tant que traitement pose problème et qu'il est alors nécessaire de prendre la vitamine C sous sa forme commercialisée, souvent des sels d'acide ascorbique ou ascorbates de sodium ou de calcium.

Pour Pauling, la tolérance intestinale indique de façon assez fiable l'ampleur des besoins. Il conseille de commencer par 1 g par jour, en doses divisées, puis d'augmenter d'un gramme par jour jusqu'au seuil de tolérance (liquidité des selles, gaz intestinaux). La dose adéquate se situe généralement entre 10 et 20 g par jour. Une plus forte dose (jusqu'à 100 g par jour), parfois nécessaire et décidée par le médecin, peut être injectée en injection intraveineuse sous forme d'ascorbates de sodium (par « long-line caval catheter », avec comme solution porteuse du lactate de Ringer-2 litres par jour). Mais dans tous les cas, le traitement ne doit pas être interrompu, même un seul jour.

Pour la prévention et une bonne santé, L. Pauling suggère

une consommation quotidienne de 250 mg au minimum, et de 1 à 10 g pour une santé parfaite. La vitamine C se trouve dans les fruits et légumes frais. Aux États-Unis, la consommation moyenne de vitamine C est environ de 100 mg par jour (en 1979). Le surplus doit être cherché soit dans une alimentation plus riche en vitamine C, soit sous forme synthétique.

5. A lire

« La vitamine C contre le cancer » de Dr Ewan Cameron et Linus Pauling, 1979, éd. « L'étincelle » (S.C.E. 3449 Saint-Denis, Montréal, Québec, Canada H2X 3L1).

« Judy Graham et la primevère du soir » de Judy Graham, 1983, éd. Épi et « L'huile d'onagre et les maladies de civilisations », de Judy Graham, éd. Épi, 1985.

Quelques explications pour utiliser la boîte à outils

En processus normal, une cellule mère se divise en deux cellules filles, dont une seule pourra se diviser. Dans un tissu cancéreux les cellules se divisent *toutes* ; leur croissance va donc être 2/4/6/12/24/48... 100 000/200 000...

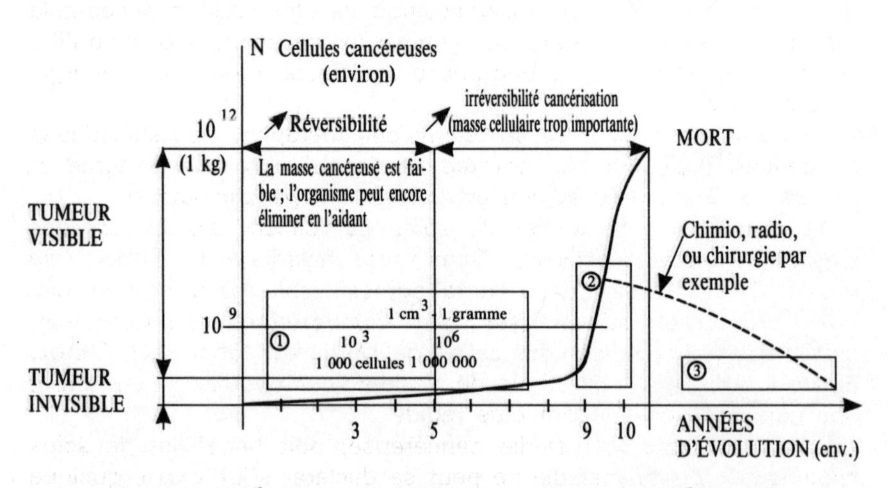

COURBE D'ÉVOLUTION D'UNE MASSE CANCÉREUSE

Pendant cinq à huit ans ou plus selon les cas, le cancer peut se développer en silence. Nous avons donc tout intérêt à garder un terrain en bon état (alimentation, oxygénation, tête) et à surveiller tous les facteurs déclenchants que l'on a du mal à « digérer » (stress, émotions, accidents, peurs, etc.).

Quand utiliser les thérapies alternatives ?

1. En amélioration ou inversion des terrains cancériniques (deux à cinq ans) en présence de kystes, inflammations chroniques, abcès douteux, etc., pour rééquilibrer le terrain malade. Des résultats intéressants sont à noter dans cette phase après utilisation en direct des thérapies alternatives... y penser.

2. Avant tout traitement chirurgical ou médical, pour préparer le malade aux thérapies « dures ».

Pendant la durée de la chimio- ou radiothérapie, pour aider le malade à mieux les supporter, ou pour renforcer leur action.

3. Après les traitements « durs » pour permettre une récupération plus rapide, et en thérapeutiques « relais » pour poursuivre la reharmonisation du terrain.

Les cellules cancéreuses sont grandes productrices de toxines que le corps doit éliminer. L'organisme va être sollicité pendant la maladie, il va devoir réagir pour éliminer les cellules déviantes qu'il a laissé se développer dans une phase antérieure. Le besoin d'énergie va être considérable.

Pensons donc à mettre en œuvre des thérapies, non spécifiques au cancer, mais qui peuvent redynamiser l'organisme perturbé et affaibli par la maladie et son environnement psychologique.

Le corps peut bénéficier de soins particuliers donnés par des kinésithérapeutes spécialisés. Dans toute maladie le corps doit être choyé. Toute tension, tout acte agressif chirurgical ou médical, toute douleur retentissent sur notre comportement. La relaxation, certaines méthodes comme celles de Mézières, Erhenfreid, Vittoz, Eutonie drainage lymphatique de Vodder, ostéopathie... permettent une consolidation souvent plus rapide.

Le cœur, dans la maladie cancéreuse, doit bénéficier de soins spécifiques. Toute maladie ne peut se déclarer s'il n'existe quelque part dans l'organisme une blessure. Dans la maladie cancéreuse cette blessure est très souvent d'origine psychique. Des psychothérapeutes, formés à la thérapie cancéreuse, peuvent apporter un précieux soutien pour aider le malade à accepter sa maladie et à dédramatiser en faisant participer son entourage familial, professionnel, médical.

L'arthérapie apporte également une harmonisation entre le corps, le cœur et l'esprit en développant la créativité par la pratique d'un art : peinture, musique, chant, modelage, ou toute activité manuelle plaisante.

Faire vibrer l'esprit en harmonie avec le corps et le cœur... Le mode de vie retentit directement sur l'équilibre de l'organisme humain. Une alimentation choisie (céréales, fruits...) et la pratique de différentes techniques venues d'Extrême-Orient : yoga, aïkido, taichi-chuan ou la méditation permettent au mental d'exercer une telle force sur l'organisme que la maladie recule son emprise.

(Contacter à ce sujet l'association Harmonie et Espoir, 5, rue Olivier-Noyer, Paris 75014, 16 (1) 545.48.00.)

Utilisées en actions convergentes, ces thérapies peuvent apporter beaucoup. C'est donc un véritable *plan thérapeutique* qui serait à mettre en œuvre, pour leur donner toute leur efficacité.

Où trouver les thérapeutes ? Les remèdes ? Un fichier vit, évolue ; les adresses, les téléphones changent, le code de la santé s'applique. Nous avons donc pris l'option de n'en publier qu'un minimum.

Si toutefois vous avez une demande précise d'adresse, écrivez aux associations citées ou à la fédération en exposant clairement votre demande accompagnée d'une enveloppe libellée, timbrée.

Postface

La concertation nationale sur le cancer (1982) a ouvert une période de dialogue entre les tenants des différentes médecines.

A l'heure où nous bouclons ce livre, des procédures administratives et judiciaires se sont substituées au dialogue (saisie des physiatrons Solomidès, saisie des solutés de Vernes, procédures contre P. Tubéry, inventeur des plantes africaines, etc.).

Au-delà du remède utilisé, émerge une autre conception de la thérapeutique au centre de laquelle le malade existe, agit, vit à part entière, en relation avec les chercheurs, les médecins. N'y a-t-il pas là une évolution culturelle qualitative, économiquement bénéfique à long terme, que doivent prendre en compte les responsables de la santé en France ? L'ouverture plus que jamais nécessaire va-t-elle être sacrifiée sur l'hôtel des économies de santé, rejoignant ainsi les espoirs déçus de ces trois dernières années ?

A la pratique actuelle d'opposition entre voies thérapeutiques, doit se substituer celle de la convergence. Le rôle des malades, des usagers est bien de démontrer que d'« objets soignés » ils deviennent « acteurs de leur santé » *en imposant par l'action* ce droit fondamental : LE LIBRE ACCÈS A TOUTES LES THÉRAPEUTIQUES.

Une récente enquête montre que 50 % des malades soignés aujourd'hui ont utilisé les médecines alternatives.

Les résultats obtenus sont ceux d'équipes. Des chercheurs ont trouvé des remèdes moins agressifs qui gardent intactes, voire stimulent les capacités de vie du malade ; s'ouvre la voie des traitements biologiques de terrain. Des médecins les utilisent en association entre elles, avec des chimiothérapies ou radiothérapies, tout en créant avec les malades une relation privilégiée, « les poussant vers la vie ! ». Des malades s'organisent, cherchent à comprendre leur maladie, se battent pour trouver des remèdes (les fabriquent, les commercialisent : voir la fondation Solidarité).

Les cas de rémission, stabilisation, guérison sont nombreux, indiscutables.

Toutes les thérapies doivent avoir leur place dans le système de santé une fois prouvée, par une méthode appropriée, leur non-nocivité et leur efficacité.

Le « Collectif pour la défense et l'expérimentation des médecines alternatives » propose de rassembler toutes les personnes et associations qui désirent mener ensemble ce combat*.

* Voir le journal *Libération* du 26/01/1985. Adresse provisoire : 18, rue Victor-Massé, 75009 Paris.

Post-scriptum

Ce livre appelle un prolongement.

Lecteurs, malades, entourage du malade, usagers, soignants, médecins, praticiens de tout bord, nous attendons vos réactions, vos témoignages, résultats, recherches, adresses, conseils, suggestions, etc.

ENVOYEZ VOS RÉACTIONS,

— soit à la Fédération Nationale des Groupes d'Usagers de la Santé, 18, rue Victor-Massé 75009 PARIS ;

— soit au groupe-santé ou au groupe-cancer le plus proche de chez vous (voir liste en annexe 4) ;

— soit à l'un des responsables de la rédaction du livre :

pour la première partie : Marie-Claire Chomel, Réseau-Santé, 15, rue Jean-Baptiste Say, 69001 Lyon,

pour la deuxième partie : Roland Hatzenberger, 6, rue d'Andlau 67300 Schiltigheim.

pour la Bande Dessinée : Raphaël Gattegno, 122, rue Saint-George 69005 LYON.

Bibliographie

Claude AUBERT, *Une autre assiette*. Conseils pratiques pour une alimentation saine, simple, savoureuse et économique, Éd. Debard, 1979.

Dr Soly BENSABAT, *Stress*. De grands spécialistes répondent, Hachette, 1980.

André BERCOFF, Sylvie DION, Danièle DREYFUS, *Vivre plus,* Robert Laffont, 1980.

J. J. BESUCHET, *Cap sur la vie,* Scarabée, 1984.

Valérie BOUSSERT, *J'ai choisi ma vie*. Témoignage recueilli par Marcelle Routier, Robert Laffont, 1984.

Gérard BRICHE, *Furiculum Vitae*. Chronique hospitalière d'un Lupus, édité par l'auteur, 1979.

Henri BRIOT, *Hodgkin, 33 33,* Éd. du Jour, 1974.

Simone BROUSSE, *On peut vaincre le cancer*, Éd. Garancières, 1983. *Cancer et alimentation*. Les aliments qui tuent, les régimes qui sauvent, Éd. K.I., 1982.

Dr Antoine CLARIS, *Espaces nouveaux de la médecine*. Robert Laffont. Coll. « Réponses-santé », 1977.

Monique COUDERC, *J'ai vaincu mon cancer*. L'histoire d'une guérison par la médecine naturelle, Belfond, 1977.

Norman COUSINS, *La volonté de guérir*. Seuil 1980. Autopsie d'une guérison, ce livre raconte comment on guérit d'une maladie incurable à partir du constat que la maladie a pour origine un excès d'émotions négatives, Seuil, 1980.

Valéry DAX, *Le cancer, c'est ma chance*, Alesia, 1983.

Pierre DELBET, *Politique préventive du cancer*, Vie Claire, 1984.

Jean-Claude DUQUESNE, *Dites plutôt c'est un cancer*, Centurion, 1980.

Dr Jacques DONNARS, *Vivre*. Vivre en paix avec son corps et mourir sans angoisse..., Tchou, 1982.

Pr. Jean-Paul ESCANDE, *La deuxième cellule*. Recherches sur la maladie appelée cancer. Grasset. 1983.

S. ESKENAZY, *Le courage du bonheur*, Table ronde, 1984.

Ania FRANCOS, *Sauve-toi, Lola*, Éd. Bernard Barrault, 1983.

André GERNEZ, *Le cancer*. Dynamique et éradication, Vie Claire, 1973.

J. GUELFI, *Comment vaincre le cancer aujourd'hui*, L'Hermès, 1984.

Jean GUIR, *Psychosomatique et cancer*, Point Hors Ligne, 1983.

Claudine HERZLICH et Janine PIERRET, *Malades d'hier, malades d'aujourd'hui*. De la mort collective au devoir de guérison, Payot, 1984.

Pr. Lucien ISRAËL, *Le cancer aujourd'hui*. Grasset, 1976.

La décision médicale. Essai sur l'art de la médecine, Calmann-Lévy, 1980.

Denis JAFFE, *La guérison est en soi*. Robert Laffont. Coll. « Réponses-santé ». 1981.

Dr Claude JASMIN, *Parce que je crois au lendemain*. Itinéraire et réflexions d'un cancérologue, Robert Laffont, 1983.

Dr Catherine KOUSMINE-MEYER, *Soyez bien dans votre assiette jusqu'à 80 ans et plus*. Sand et Tchou, 1980.

Sabine DE LA BROSSE, *La force de vaincre*. Lattès, 1979.

Dr Philippe LAGARDE, *Ce que l'on vous cache sur le cancer*, Éd. Pierre-Marcel Favre, 1981.

Le Cancer : ce qu'il faut savoir. P.M. Favre 1984.

Lawrence LE SHAN, *Vous pouvez lutter pour votre vie*. Les facteurs psychiques dans l'origine du cancer, Robert Laffont, Coll. « Réponses-santé ». 1982.

Philippe MADELIN, *Malades et médecins*. La crise de confiance, Seuil, 1981.
Lénor MADRUGA, *L'énergie de l'espoir*. La lutte d'une jeune femme pour vivre comme les autres. Presses de la Cité 1983.
D. MOREL, *Cancer et psychanalyse*. Belfond, 1984.
Anne PHILIPPE, *Le temps d'un soupir*. Poche, 1969.
La recherche sur le cancer. Seuil/Points/Sciences, 1982.
Wilhelm REICH, *La biopathie du cancer*. Payot, 1976.
Joël et Stella de ROSNAY, *La mal bouffe*. Comment se nourrir pour mieux vivre. Olivier Orban, 1979.
Dr Dominique RUEFF, *Choisir la vie*. Nouveaux combats contre le cancer. Le Hameau, 1984.
Dr Anthony J. SATTILARO et Tom MONTE, *Rappel à la vie*. Une guérison du cancer, Calmann-Lévy, 1983.
Léon SCHWARTZENBERG et Pierre VIANSSON-PONTE, *Changer la mort*. Albin Michel, 1977.
Marcel SENDRAIL, *Histoire culturelle de la maladie*. Privat, 1980.
Stéphanie SIMONTON, *La famille, son malade et le cancer*. Coopérer pour vivre et pour guérir. Éd. Épi, 1984.
Dr. Carl SIMONTON, Stéphanie Matthews SIMONTON, James CREIGHTON, *Guérir envers et contre tout*. Guide quotidien du malade et de ses proches pour surmonter le cancer. Éd. Épi/Coll « Hommes et Groupes », 1982.
Christiane SINGER, *Les âges de la vie*. Albin Michel, 1983.
Alexandre SOLJENITSYNE, *Le pavillon des cancéreux*. Julliard, 1968.
Dr Pierre SOLIGNAC, *Ces malades mal-traités*. Trévise, 1981.
Susan SONTAG, *La maladie comme métaphore*. Seuil, 1979.
SUN, *Méthodes complémentaires de dépistage et de soin du cancer*. Journées organisées par Santé-Université-Nature (Sun) Grenoble 29/30 septembre 1979 sous la présidence de Dr. Michaud, textes réunis par les conférenciers.
G. de THE, *Sur la piste du cancer*. Flammarion, 1984.
Fritz ZORN, *Mars*. Gallimard, 1979.
La révolution biologique. Numéro spécial « Science et vie » sous la direction de Joël de Rosnay.
La santé à bras le corps. Revue Autrement, n° 26, septembre

1980. De l'assistance à l'autonomie, voyage au bout de la maladie.
Médecines : Vous avez dit... parallèles (?) Pratiques ou les Cahiers de la médecine utopique. Revue du S.M.G., n° 51.
Cancer : Répression ou communication Co-Évolution n° 6.
Cancer. N° Spécial Vie et Santé, juin 1982.

ACHEVÉ D'IMPRIMER PAR
CORLET, IMPRIMEUR, S.A.
14110 CONDÉ-SUR-NOIREAU

N° d'Éditeur : 85-42
N° d'Imprimeur : 5228
Dépôt légal : mars 1985

Imprimé en France